Título do orixinal inglés:
Billionaire Boy, Londres, HarperCollins, 2010

Tradución: Eva Almazán, 2024
Traducido coa licenza de
HarperCollins Publishers Ltd.
Revisión: Estela Villar e Anxa Correa
Maquetaxe: Anxa Correa

Tipografía: Adobe Garamond Pro 13/15
Papel: Offset editorial óso de 80 g

ISBN: 978-84-16884-82-7
Depósito legal: VG 254-2024
Impresión e encadernación:
Sacauntos Cooperativa Galega

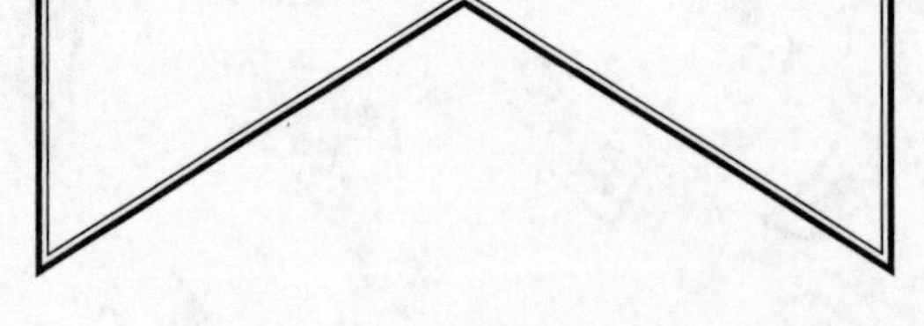

CONSELLERÍA DE CULTURA,
EDUCACIÓN, FORMACIÓN
PROFESIONAL E UNIVERSIDADES

Esta obra recibiu unha subvención da Consellería de Cultura,
Educación, Formación Profesional e Universidades da Xunta de Galicia.

David Walliams

O neno ultramillonario

Ilustrado por Tony Ross

ESTE LIBRO

☐ regaláronllo a

☐ gañouno ....

☐ mercouno

☐ atopouno ....

sushi books

Voor Lara,

Ik hou meer van je, dan ik met woorden kan zeggen

Agradecementos:

Gustaríame darlles as grazas a varias persoas que axudaron a facer realidade este libro. O groso do choio tocoume a min, pero haberá que mencionalas. En primeiro lugar, grazas a Tony Ross polas súas ilustracións. Ben puido colorealas, a verdade, pero seica para iso pide un suplemento. A seguir gustaríame darlle as grazas a Ann-Janine Murtagh. Está á fronte de todos os libros infantís de HarperCollins, é moi simpática e sempre fai unhas suxestións marabillosas. Eu que sei, teño que dicir estas cousas porque é a xefa. Non esquezamos a Nick Lake, que é o meu editor. O seu traballo consiste en axudarme cos personaxes e coa trama; sen el, non sería quen de escribir un libro. Ben, realmente si sería, pero se non o nomeo aquí bótase a chorar, estouno vendo.

A cuberta deseñouna James Stevens; o interior, Elorine Grant. Neste punto viría ó caso comentar que «Elorine» é unha ridiculez de nome, pero mellor non o digo, porque sería unha maldade. A publicista é Sam White. Se poñedes a tele e me vedes no programa *Loose Women* facendo publicidade do meu libro, pedídelle contas a ela. Sarah Benton, moitísimas grazas por ser a xerente de márketing (signifique o que signifique) máis fabulosa do mundo. As directoras de vendas Kate Manning e Victoria Boodle tamén fixeron algo, aínda que non teño moi claro o que. Grazas tamén a Lily Morgan, correctora de estilo, e Rosalind Turner, correctora de probas. Se atopades grallas, xa sabedes a quen reclamarlle. E grazas ó meu axente, Paul Stevens de Independent, por embolsar o dez por cento mais IVE dos meus honorarios a cambio de pasar a vida apoltronado no seu despacho a tomar té con galletas.

Como non pode ser doutra forma, moitísimas grazas a vós por mercar este libro. Tamén vos digo que non sei para que perdedes o tempo lendo esta parte, co aburrida que é. Havos prestar moito máis ler a historia en si. Xa houbo quen dixo que é «unha das mellores obras da literatura universal». (Moitas grazas, mamá.)

1

Preséntovos a Joe Spud

Preguntástesvos algunha vez como sería ter un millón de libras?

Ou mil millóns?

E un billón?

Ou mesmo un trillón?

Pois preséntovos a Joe Spud.

Joe non necesitaba imaxinar como sería posuír diñeiro a carradas, diñeiro a dar co pé, montes e moreas de diñeiro. Porque só tiña doce anos, pero estaba o que se di total e absolutamente podre de cartos.

Joe tiña todo canto podería desexar.

- Un televisor de plasma de alta definición e pantalla plana extralarga de 100 polgadas en todos e cada un dos cuartos da casa ✓
- 500 pares de tenis Nike ✓
- Un circuíto de Fórmula 1 no xardín traseiro da súa casa ✓
- Un can robótico importado do Xapón ✓
- Un cochiño de golf con matrícula «SPUD 2» para desprazarse polos xardíns da súa casa ✓
- Un tobogán acuático que partía do seu dormitorio e terminaba nunha piscina olímpica cuberta ✓
- Todos os xogos de ordenador do mundo ✓
- Un cine IMAX 3-D no soto ✓
- Un crocodilo ✓
- Unha masaxista privada dispoñible as 24 horas ✓
- Un salón de birlos subterráneo de 10 pistas ✓
- Unha mesa de billar ✓
- Un dispensador de flocos de millo ✓
- Un circuíto de obstáculos para o monopatín ✓
- Outro crocodilo ✓
- Unha paga semanal de 100 000 libras ✓
- Unha montaña rusa no xardín de atrás ✓

- Un estudio profesional de gravación no faiado ✓
- Adestramento de fútbol personalizado a cargo da selección inglesa ✓
- Unha quenlla de verdade nun acuario ✓

En poucas palabras, Joe era un neno consentidísimo, algo tremendo. Estudaba nun colexio tan superfino que daba grima. De vacacións sempre ía en avión privado. Nunha ocasión ata lle cerraron Disneylandia un día enteiro para el só, porque así escusaba de facer cola nas atraccións.

Velaquí tedes a Joe, pisándolle a máis non dar ó seu bólido de Fórmula 1 polo circuíto de carreiras privado que tiña na casa.

A algúns cativos superricos fabrícanlles expresamente versións pequeniñas dos coches de verdade. A Joe non. A Joe tivéronlle que fabricar o Fórmula 1 aínda un chisco meirande có profesional. Porque o caso é que Joe estaba bastante gordecho. Tamén o habiades estar vós se puidésedes mercar todo o chocolate do mundo, non mo neguedes.

Seguro que vos fixastes en que no debuxo da páxina anterior Joe aparece só. A verdade é que pilotar un bólido á velocidade do raio por unha pista de carreiras non resulta moi divertido se che falta a compañía, por moitos millóns, billóns ou trillóns que gardes no banco. Necesitas outros pilotos para competir con eles. O problema era que Joe non tiña amigos. Nin un.

- Amigos ✗

Ben, o caso é que pilotar un coche de Fórmula 1 e abrir un chocolate Mars tamaño extragrande son dúas actividades que non se deben facer asemade. Mais Joe xa levaba uns minutos sen comer e tiña fame. Ó entrar na chicane, rachou o envoltorio cos dentes e deulle unha chanchada á deliciosa barriña de nougat e caramelo recuberta de chocolate. Por desgraza, e como levaba o volante collido cunha soa man, a Joe fóiselle o coche cando as rodas toparon co bordo.

O bólido de Fórmula 1 saíu da pista, deu varias reviravoltas sobre o asfalto e estrelouse contra unha árbore.

RRRRRRRRRRIIIIIIIIIINNNNNNN-NNCCCCCCCCCCCCHHHHHHHHHHHH!!!!!!!!!!!!!!!!!!!!!!!!!!!!!!!!

Á árbore non lle pasou nada. Pero o coche, que custara moitos millóns de libras, quedou sinistro total. Joe saíu do habitáculo como malamente puido. Por sorte non se mancara, pero sentíase algo mareado, e volveu para a casa facendo eses.

–Papá, choquei co coche –dixo Joe ó entrar no suntuoso salón.

O señor Spud era pequeno e gordecho, tal cal o fillo. E bastante máis peludo en moitas zonas do corpo. Agás na cabeza, que tiña lampa e relucente. O pai de Joe estaba sentado nun sofá de cen prazas tapizado en pel de crocodilo e non levantou a vista do xornal *Sun* que andaba a ler.

–Non te preocupes, Joe –dixo–. Xa che mercarei outro.

Joe deixouse caer no sofá a carón do pai.

–Ah, e por certo, Joe, feliz día de anos. –O señor Spud entregoulle un sobre ó fillo, sen sacar os ollos da rapaza que saía na páxina 3.

Joe abriu o sobre con ansia. Cantos cartos lle tocaban ese ano? A postal (que poñía «Feliz 12.º aniversario, fillo») arrombouna decontado para escudriñar o cheque que viña dentro.

Joe apenas puido disimular a decepción.

–Un millón de libras? –dixo, con desprezo–. Só?

–Que pasa, fillo? –O señor Spud pousou o xornal un momentiño.

–Que un millón xa mo regalaches o ano pasado! –queixouse Joe–. Cando fixen os once! Como me dás a mesma cantidade, se agora fago un máis?

O señor Spud meteu a man no peto do seu brillante traxe gris de alta costura e tirou a chequeira. Aquel traxe custaba unha animalada, algo terrorífico.

–Vasme perdoar, fillo –dixo–. Que sexan dous millóns, logo.

Ben, neste punto é importante saberdes que o señor Spud non sempre tivera tantísimo diñeiro.

Pouco tempo atrás, a familia Spud levaba unha vida moi modesta. O señor Spud entrara a traballar ós dezaseis anos nunha inmensa fábrica de papel hixiénico situada nos arrabaldes da cidade. O seu labor era o súmmum do aburrimento: enrolar o papel ó redor do tubo de cartón do medio.

Rolo tras rolo.

Día tras día.

Ano tras ano.

Década tras década.

E enrolou e enrolou, unha e outra vez, ata perder case toda a esperanza. Pasaba a xornada laboral de pé diante dunha cinta transportadora, acompañado de centos de operarios igual de aburridos, repetindo a mesma manobra soporífera. Cada vez que acababa de enrolar un tubo, o proceso comezaba de novo. E todos os rolos de papel do váter eran idénticos. Como a familia pasaba tanta necesidade, o señor Spud confeccionaba cos tubos de cartón os regalos de aniversario e de Nadal do fillo. Ó señor Spud nunca lle chegaran os cartos para lle mercar a Joe os xoguetes último modelo, pero no canto diso fabricáballe cos tubos un coche de carreiras ou un forte con ducias de soldadiños, tamén feitos cos tubos de papel hixiénico. A maioría daqueles xoguetes rompían e acababan no balde do lixo, pero cómpre sinalar que Joe se apañara para conservar, non sabía moi ben por que, un penoso foguete espacial feito con varios tubos de cartón.

A única vantaxe de traballar nunha fábrica era que o señor Spud tiña tempo de sobra para darlle ó maxín. E un día discorreu unha cousa que revolucionou o mundo da hixiene cuíl.

«Por que non estará inventado un papel do váter que veña húmido por un lado e seco polo outro?», pensou, mentres enrolaba papel hixiénico ó redor do milésimo tubo de cartón daquela xornada. O señor Spud non compartiu aquela idea con ninguén. O que fixo foi encerrarse varias horas no cuarto de baño do minipiso de protección oficial que tiña asignado a familia e dedicarse a facer probas e inventos ata que perfeccionou o papel hixiénico de dobre cara que ideara.

Cando por fin se comercializou, o «Suavicú» causou furor. O señor Spud empezou a vender mil millóns de rolos diarios en todo o planeta. E por cada rolo que se vendía, el empetaba dez peniques. A suma total alcanzaba unhas cantidades astronómicas, tal e como demostra esta sinxela ecuación matemática:

10 peniques x 1 000 000 000 de rolos x 365 días do ano = un pastón

Joe Spud só tiña oito anos cando se presentou o «Suavicú», e a súa vida mudou radicalmente nun chiscar de ollos. Para empezar, os pais de Joe divorciáronse. Resultou que a súa nai, Carol, levaba nin se sabe cantos anos enleada nun tórrido amorío con Alan, o monitor de Joe nos Boy Scouts. Co divorcio levou dez mil millóns de libras; Alan cambiou a canoa por un iate descomunal. A última vez que tiveran novas deles, Carol e Alan andaban navegando por Dubai, regando con champaña anello os cereais Crunchy Nut que almorzaban todas as mañás. O pai de Joe pareceu superar o divorcio con bastante rapidez e comezou a saír cunha serie interminable de rapazas das que aparecían lixeiras de roupa na páxina 3 do *Sun.*

Pai e fillo non tardaron en abandonar o seu ruín piso de protección oficial para se instalar nunha inmensa mansión ultraluxosa. O señor Spud púxolle de nome «Vila Suavicú».

A mansión era tan colosal que se dexergaba dende o espazo exterior. Había que facer cinco minutos en coche para chegar da cancela á porta principal, seguindo un quilométrico camiño de grava flanqueado por centos de arboriñas de nova plantación. A casa tiña sete cociñas, doce salóns, corenta e sete dormitorios e oitenta e nove cuartos de baño.

Os cuartos de baño tiñan incorporado un cuarto de baño secundario. E varios deses cuartos de baño secundarios tiñan incorporado un cuarto de baño terciario.

Malia levaren vivindo alí uns cantos anos, o máis seguro é que Joe coñecese apenas unha cuarta parte da mansión. Nos seus infinitos terreos había canchas de tenis, un lago navegable, un heliporto e incluso unha pista de saltos de esquí de cen metros de longo, con montañas de neve artificial e todo. As billas, os picaportes e mesmo os asentos dos inodoros eran de ouro macizo. As alfombras eran de visón, o pai e el bebían a laranxada en valiosísimos cálices medievais, e durante unha tempada incluso tiveron un mordomo chamado Otis que amais de mordomo era orangután. Pero ó final tiveran que despedilo.

–E pódesme facer tamén un agasallo de verdade, papá? –preguntou Joe, mentres gardaba o cheque no peto do pantalón–. É que cartos xa che teño a esgalla.

–Ti pide por esa boquiña, fillo, que decontado lle digo a un dos meus axudantes que cho merque –contestou o señor Spud–. Queres uns anteollos de sol en ouro macizo? Eu téñoche uns. Vese fatal, pero son carísimos.

Joe bocexou.

–Unha lancha motora para ti só? –suxeriu o señor Spud.

Joe puxo cara de impaciencia.

–Xa teño dúas, non che acorda?

–Perdoa, fillo. E que me dis de 250 000 libras en vales da cadea WHSmith, para trocalos por infinitos xornais e revistas?

–Iso é un aburrimento coma unha catedral! –Joe patexaba coa rabia. Velaí un rapaz con problemas de clase alta.

O señor Spud semellaba abatido. Parecíalle que non quedaba no mundo nada que lle poder mercar ó seu único fillo.

–Daquela que queres, fillo?

A Joe ocorréuselle unha idea repentina. Imaxinouse pilotando el só polo circuíto, nunha carreira contra si mesmo.

–Pois hai unha cousa que me apetece moitísimo… –dixo, vacilando un chisco.

–Ti pide, fillo –respondeu o señor Spud.

–Un amigo.

2

O Cagachín

–O Cagachín –dixo Joe.

–O Cagachín?! –balbuciu o señor Spud–. Que máis maldades che chaman nese colexio, fillo?

–O Limpacús…

O señor Spud deulle á cabeza con incredulidade. Matriculara o fillo no colexio máis caro de toda Inglaterra: a Academia Masculina Saint Cuthbert. Custaba duascentas mil libras por trimestre e os alumnos vestían gorgueiras e calzóns isabelinos, coma na época de Shakespeare. Velaquí unha imaxe de Joe co uniforme. Dá unha pouca risa, va que si?

Ó señor Spud non lle pasara xamais pola imaxinación que o seu fillo puidese sufrir acoso escolar. Iso era algo, cría el, que só lle sucedía á xentalla pobre. Mais o certo era que se estiveran metendo con Joe dende o mesmo día que entrara no colexio. Os señoritos de avoengo que estudaban alí non o podían ver diante, porque o pai se fixera rico vendendo papel do váter. Dicían que aquilo era «supervulgar».

–O Caguillonario, o Príncipe das Merdeas, o Fidalgano –engadiu Joe–. E iso soamente os mestres.

A maioría dos alumnos do colexio de Joe eran príncipes, ou como mínimo duques ou condes. As súas familias fixeran fortuna sendo grandes terratenentes. Noutras palabras, eran «ricos de vello». Joe descubrira decontado que os cartos só eran aceptables se viñan de tempo atrás. Ser «novo rico» por vender papel hixiénico non tiña mérito ningún.

Os nenos ricos de Saint Cuthbert chamábanse cousas como Nathaniel Septimus Ernest Bertram Lysander Tybalt Zacharias Edmund Alexander Humphrey Percy Quentin Tristan Augustus Bartholomew Tarquin Imogen Sebastian Theodore Clarence Smythe.

Todo iso era o nome dun só rapaz.

E o plan de estudos tamén era elitista a máis non poder, unha cousa alucinante. O horario de clases de Joe quedaba así:

Luns

Latín

O sombreiro panamá e como lucilo

Estudos rexios

Teoría da etiqueta

Saltos de hípica

Bailes de salón

Debate («Abrochar o último botón do chaleco é unha vulgaridade: a favor ou en contra?»)

Refrixerios elegantes

Anoamento da gravata de lazo

Navegación a pértega

O polo (o deporte que se xoga de a cabalo con mazos, non o fillo da galiña nin a larpeirada de xeo)

Martes

Grego clásico

Cróquet

Caza do faisán

Maltrato do servizo doméstico

Mandolina nivel 3

Historia do tweed

Obradoiro práctico: xestos soberbios

Como avantar o mendigo que está tirado na beirarrúa ó saír da ópera

Labirintos: estratexias de saída

Mércores

Caza do raposo

Arranxos florais

Cháchara meteorolóxica

Historia do crícket

Historia do zapato Oxford

Taller práctico de naipes: a baralla de Mansións Señoriais

Lectura da revista *Harper's Bazaar*

Como ser un bo espectador de ballet

Lustraxe de sombreiros de copa

Esgrima (para grima, a que dan estas materias)

Xoves

Teoría e práctica do mobiliario de época

Cambio de rodas: o todoterreo Range Rover

Coloquio: quen ten o pai máis rico?

Concurso: quen ten máis trato co príncipe Harry?

A fala da xente ben: usos prácticos

Club de remo

Debate («O molete inglés, mellor torrado: a favor ou en contra?»)

Xadrez

Heráldica

Conferencia: como falar a berros nos restaurantes

Venres

Lecturas poéticas (inglés medieval)

Historia da vestimenta de pana

Poda artística de sebes

Introdución á escultura clásica

Obradoiro: búscate nos ecos de sociedade da revista *Tatler*

Caza do pato

Billar

Taller vespertino: audición de música clásica

Temas de conversa para ceas formais (ex.: o cheiro da clase obreira)

Así e todo, se Joe detestaba estudar en Saint Cuthbert non era por esta ridiculez de materias. Era porque todo o mundo o miraba por riba do ombreiro. Pensaban que o fillo dun fulano que facía o agosto vendendo papel para limpar o cu tiña que ser un ordinario de categoría.

–Papá, quero cambiarme de colexio –dixo Joe.

–Non hai problema ningún. Pódoche pagar as escolas máis exclusivas do mundo. Seica en Suíza hai un internado en que pasas a mañá esquiando e logo, pola tard…

–Non –interrompeuno Joe–. Que che parece se vou ó cole público que nos toca por zona?

–Como!? –exclamou o señor Spud.

–Ó mellor así fago algún amigo –respondeu Joe.

Tiña visto a rapazada fervellando á porta do colexio público cando o chofer o levaba a Saint Cuthbert. Daban a impresión de estar a pasalo de fábula: parolando, brincando, trocando cromos. Para Joe, aquela era unha escena marabillosamente normal.

–Home, si, pero… O colexio público? –dubidou o señor Spud, sen dar creto–. Estás seguro?

–Segurísimo –contestou Joe, fincándose na súa.

–Se queres pódoche construír un colexio no xardín de atrás –propúxolle o señor Spud.

–Que non, que quero ir a un cole normal e xa está. Con nenos normais. Quero facer algún amigo, papá. En Saint Cuthbert non teño ningún.

–Pero como vas estudar nun colexio público? Non ves que es multimillonario, neno? Unha de dúas: ou se meten contigo os outros rapaces, ou se che pegan coma lapas por seres rico. Ha ser un inferno.

–Vale, pois daquela non lle conto a ninguén quen son. Digo que me chamo Joe a secas. E ó mellor, cunha pouca sorte, consigo facer un amigo, ou mesmo dous…

O señor Spud meditou uns segundos e ó cabo cedeu.

–De acordo, Joe, se tanta gana tes, podes ir a un colexio normal.

Joe estaba tan eufórico que brincuou* polo sofá adiante para chegar onda o pai e darlle unha aperta.

* [Brincuar (verbo) *brin-cu-ar.* Estando sentado, desprazarse a poder de dar chimpiños sobre o traseiro, escusando poñerse de pé. Método moi estimado polas persoas con exceso de peso.]

–Non me engurres o traxe, neno –dixo o señor Spud.

–Perdón, papá –desculpouse Joe, brincuando un chisquiño cara atrás para deixarlle espazo. Rascou a gorxa–. Hum… Quérote moito, papá.

–Si, fillo, ídem, ídem –dixo o señor Spud mentres se erguía do sofá–. Pois ala, feliz aniversario, compañeiro.

–E logo non o imos celebrar xuntos? –preguntou Joe, tratando de disimular a desilusión. Cando era máis pequeno, o pai sempre o levaba á hamburguesería da vila no seu día de anos. Como as hamburguesas lles eran moi caras, pedían unicamente as patacas fritidas e acompañábanas duns bocadillos de xamón con cogombriños en vinagre que o señor Spud metía ás escondidas no local dentro do oco do chapeu.

–É mágoa, fillo, pero non podo. Téñoche unha cita con este belezón –respondeu o señor Spud, ó tempo que lle sinalaba a páxina 3 do *Sun.*

Joe mirou para o xornal. Saía unha foto dunha muller que polo visto extraviara a roupa. Tiña o pelo tinguido de platino e levaba tal capa de maquillaxe que custaba distinguir se era guapa ou non. Debaixo da foto poñía: «Sapphire, 19 anos, de Bradford. Gústalle ir de compras. Non lle gusta pensar».

–E non cres que Sapphire é un pouco nova de máis para ti, papá? –preguntou Joe.

–Só lle levo vinte e sete anos! –retrucou o señor Spud decontado.

Joe non quedou moi convencido.

–Vale, e onde pensas ir coa tal Sapphire?

–A unha discoteca.

–A unha discoteca?! –preguntou Joe.

–Si, que pasa? –dixo o señor Spud, moi ofendido–. Acaso son vello para ir á discoteca?

Mentres falaba, abriu unha caixa, tirou dela un obxecto que semellaba un hámster apisoado e plantouno no cocote.

–Papá, que raios é iso?

–Que é o que, Joe? –respondeu o señor Spud, facendo coma quen non entendía, mentres cubría a calva con aquel invento.

–Iso que puxeches na cabeza.

–Ah, isto! Éche un perruquín, neno! E só me custou dez mil libras cada un! Merquei un louro, un castaño, un rubio e mais un afro para as ocasións especiais. Quítame vinte anos de encima, va que si?

A Joe non lle prestaba mentir. Co perruquín posto, o pai non figuraba máis novo, senón un señor que facía equilibrios cun roedor morto na cabeza. Así as cousas, Joe inclinouse por soltar un «hum» no ton máis neutro posible.

–En fin. Pois nada, que o pases ben –engadiu Joe ó cabo, e colleu o mando a distancia. Polo que se botaba de ver, tiña por diante outra noite sen máis compaña cá tele de cen polgadas.

–Quédache caviar na neveira para a cea, fillo –dixo o señor Spud conforme se dirixía á porta.

–Caviar que é?

–Ovas de peixe, fillo.

–Fu…! –A Joe non lle chistaban moito os ovos de galiña normais e correntes, pero as ovas de peixe xa lle daban unha grima horrorosa.

–É que hoxe almorcei un pouco del untado nas torradas. Sabe a raios, pero custa carísimo, así que temos que empezar a comelo.

–E non podemos cear salchichas con puré, peixe rebozado con patacas fritidas, pastel de carne ou algo así, papá?

–Mmm, canto gorentaba eu o pastel de carne… –Ó señor Spud fíxoselle auga na boca, coma se estivese revivindo o sabor daquela receita.

–Podemos ou non?

O señor Spud deulle á cabeza con irritación.

–Que non, fillo, que non! Agora somos ricos e temos que comer todas esas cousas finas que comen os señoritos. Deica logo!

A porta bateu ó seu paso, e Joe sentiu o ruxido enxordecedor do Lamborghini verde lima do pai ó perderse na noite a gran velocidade.

Joe quedou algo chafado ó atoparse só por enésima vez, pero ó mesmo tempo asomoulle un sorrisiño cando prendeu a televisión. Había matricularse nun colexio público outra vez e ser un rapaz normal. E quizais, cunha pouca sorte, faría algún amigo.

A gran pregunta era ata cando lograría Joe manter en segredo que lle saían os millóns polas orellas.

3

Quen é o máis rebolo?

Por fin chegou o gran día. Joe tirou do pulso o reloxo de diamantes e gardou nun caixón o bolígrafo de ouro. Estudou a carteira de marca que lle mercara o pai para o primeiro día no colexio novo –era negra, de pel de serpe– e devolveuna para o armario. Incluso o saco en que viñera do comercio era demasiado elegante, pero por sorte atopou na cociña unha bolsa vella de plástico e meteu nela os libros de texto. Joe estaba decidido a non destacar en nada.

Joe pasara mil veces por diante do colexio público de camiño a Saint Cuthbert e estaba farto de ver, dende o asento traseiro do Rolls Royce con chofer, a rapazada que entraba en tropel: unha avalancha descontrolada de mochilas a randeazo limpo, palabras malsoantes e pelos con fixador. Ese día había franquear aquelas portas por vez primeira. Pero non quería chegar en Rolls Royce: os demais rapaces non terían que ser uns xenios para deducir que era rico. O que fixo, xa que logo, foi indicarlle ó chofer que o deixase nunha parada de autobús das inmediacións. Xa levaba uns aniños sen usar o transporte público e, mentres agardaba a que chegase a súa liña, tremeu unha miga coa emoción.

–Diso non che teño cambio! –exclamou o condutor do autobús.

Joe non previra que non lle habían aceptar un billete de cincuenta libras para pagar as dúas que valía o traxecto, e ó final non puido subir. Cun suspiro, decidiu percorrer a pé os tres quilómetros e pico que había ata o colexio. A cada paso que daba, rozaba unha coxa fofa contra a outra.

Por fin chegou á cancela do colexio. Quedou uns momentos fóra, dando unhas voltiñas nerviosas. Levaba tanto tempo sumido nunha vida de luxos e privilexios que non sabía como diaño ía encaixar con aqueles rapaces. Colleu aire e botou a andar polo patio adiante.

Cando pasaron lista, á parte del só había outro neno sentado só. Joe mirou para el. Era gordo, igual ca el, e tiña unha boa mata de rizos. Ó ver que Joe miraba na súa dirección, sorriu. E cando acabaron de pasar lista, achegouse onda el.

–Chámome Bob –dixo o rapaz gordecho.

–Ola, Bob –respondeu Joe. Acababa de soar o timbre e os dous rapaces avanzaron con andares de parrulo polo corredor adiante para asistir á primeira clase do día–. Eu chámome Joe –engadiu. Facíaselle raro estar nun colexio en que non o coñecían. Alí non era o Cagachín, nin o Merdillonario, nin o do Suavicú.

–Que alegría que esteas aquí, Joe. Nesta clase, refírome.

–E logo? –preguntou Joe. Estaba moi ilusionado. Non ben entrara e xa tiña un amigo!

–Porque agora xa non son o máis gordo de todo o colexio –afirmou Bob con gran convencemento, coma se manifestase un dato incontrovertible.

Joe engurrou o cello, parou un segundo e estudou a Bob. Para el que os dous andaban aí aí en grao de gordura.

–Entón ti canto pesas? –interrogouno Joe, algo amolado.

–E ti? –respondeu Bob.

–Eu preguntei primeiro.

Bob quedou calado uns instantes.

–Cincuenta quilos ou por aí.

–Pois eu corenta e cinco –mentiu Joe.

–Xa, corenta e cinco en cada perna! –retrucou Bob con enfado–. Eu peso setenta e seis e ti es o dobre ca min!

–Pero non dixeras que pesabas cincuenta? –afeoulle Joe.

–Pesar pesaba –respondeu Bob–. Ó nacer.

Esa tarde tiñan carreira campo a través. Cousa que xa é un suplicio en por si calquera día lectivo, canto máis o primeiro día nun colexio novo. Era unha tortura anual que parecía ideada co único fin de humillar os rapaces pouco dotados para os deportes, categoría na cal entraban Bob e Joe sen lugar a dúbidas.

–E o traxe de ximnasia, Bob? –berrou o señor Bruise, o sádico mestre de Educación Física, cando o aludido se presentou no campo de deportes. Ía en calzóns e camiseta interior, e os compañeiros recibírono rindo ás gargalladas.

–É q-q-q-que m-m-m-mo deberon de a-a-a-agochar, profesor –respondeu Bob, tremendo coma unha vara verde.

–Vaia escusa máis ruín! –mofouse o señor Bruise. Coma a maioría dos mestres de ximnasia, custaba imaxinalo vestindo roupa que non fose un chándal.

–P-p-p-pero teño que correr i-i-i-igual, p-p-p-profesor? –preguntou Bob, albergando esperanzas.

–Podes estar ben seguro! Non te vas zafar tan facilmente. Moi ben, escoitade todos. Preparados… Listos… Atentos que vai… XA!

No primeiro momento, Joe e Bob saíron a correr a todo gas coma todos os máis, pero de alí a tres ou catro

segundos xa estaban sen folgos e tiveron que poñerse a andar. Os compañeiros perdéronse de vista deseguida e os dous gordechos quedaron sós.

–Todos os anos chego de último –dixo Bob, ó tempo que abría un chocolate Snickers e lle daba unha chanchada–. E os outros sempre me fan a burla. Dúchanse, vístense e volven á meta para agardar por min. Poden marchar para a casa, pero non, prefiren quedar para rirse de min.

Joe engurrou o cello. Aquilo non lle facía graza ningunha. Decidiu que non quería chegar de pechacancelas e apurou o paso un pouco, asegurándose de levarlle a Bob aínda que fose medio pasiño.

Bob fulminouno coa mirada e acelerou tamén: chegou a ir a máis de medio quilómetro por hora. A xulgar pola expresión decidida do seu rostro, concluíu Joe, Bob vía o ceo aberto, convencido de que non ía chegar en derradeiro lugar por unha vez na vida.

Joe apurou un pouco máis. Xa case ían a ritmo de marcha atlética. Estaban competindo. E polo posto máis asombroso: o de penúltimo! Joe non quería por nada do mundo estrearse no colexio novo perdendo unha carreira contra un codrolo en calzóns.

Cando lles parecía que levaban un século sufrindo, albiscaron ó lonxe a liña de meta. Os dous rapaces ían medio asfixiados con aquel corricar de parrulos.

De súpeto, a traxedia abateuse sobre Joe. Entroulle un punto nun costado.

–Aauu! –chiou.

–Que foi? –preguntoulle Bob, uns bos centimetriños por diante.

–Deume un punto… Teño que parar. Auuu…

–Xa! É un farol! O ano pasado fíxome o mesmo engano unha rapaza de noventa e cinco quilos, e ó final venceume por unha milésima de segundo!

–Auuu. Que non, que é certo! –laiouse Joe, apertando moito o costado.

–A min non me enganas, Joe. Vas quedar de último, e este ano hanse rir todos de ti, non de min! –berrou Bob en ton triunfante a medida que collía vantaxe.

Joe non quería facer o ridículo o primeiro día no colexio novo, de ningunha das maneiras. Xa se riran del abondo en Saint Cuthbert. O malo era que o punto lle doía máis a cada paso que daba. Notaba coma se lle cravasen un ferro candente no costado.

–Se me deixas chegar antes ca ti, douche cinco libras –propúxolle ó compañeiro.

–Nin tolo –respondeu Bob, medio abafado.

–E dez?

–Non.

–Vinte?

–Sube máis.

–Cincuenta.

Bob freou e mirou para atrás.

–Cincuenta libras… –musitou–. Dá para unha chea de chocolate…

–Si –confirmou Joe–. Toneladas.

–Hai trato. Pero só se me dás a pasta agora mesmo.

Joe remexeu por dentro dos pantalóns de deporte e sacou un billete de cincuenta.

–Iso que é? –preguntou Bob.

–Un billete de cincuenta libras.

–Nunca tal vira. De onde o sacaches?

–Ah, é que… aí atrás estiven de aniversario e… claro… –dixo Joe, atrapallándose un pouco ó falar–. Que mo deu meu pai de regalo, vaia.

O rapaz que era un minichisquichiño máis gordo esculcou o billete un intre e púxoo a contraluz, coma se fose unha peza arqueolóxica de valor incalculable.

–Guau… O teu pai ha de ser un potentado –dixo.

A Bob habíaselle derreter toda a graxa do corpo de golpe se soubese a verdade: que o señor Spud lle regalara ó fillo dous millóns polo seu aniversario. Así que Joe calou a boca.

–Que vai ser, ho –dixo.

–Pois veña, vale –dixo Bob–. Entro eu de derradeiro, outra vez. Por cincuenta libras chégoche á meta pasadomañá, se fai falta.

–Con chegares uns pasos por detrás de min vale de sobra –respondeu Joe–. Para que pareza de verdade e tal.

Joe adiantouse un pouco, aínda apertando a barriga polo lado do punto. Empezaba a dexergar centos de sorrisiños crueis alá ó lonxe. O alumno novo cruzou a liña de meta recibido apenas por un levísimo murmurio de burla. Ó rabo del chegou Bob, apreixando na man o billete de cincuenta, xa que nos calzóns non tiña petos. Conforme se achegaba á meta, os rapaces empezaron a entoar:

–BOBOLO! BOBOLO! BOBOLO! BOBOLO! BOBOLO! BOBOLO! BOBOLO! BOBOLO! BOBOLO! BOBOLO! BOBOLO! BOBOLO! BOBOLO! BOBOLO! BOBOLO! BOBOLO! BOBOLO! BOBOLO! BOBOLO! BOBOLO!

Gritaban cada vez máis forte.

–BOBOLO! BOBOLO! BOBOLO! BOBOLO! BOBOLO! BO-

BOLO! BOBOLO!

Empezaron a dar palmas ó unísono.

–BOBOLO! BOBOLO!

BOBOLO! BOBOLO!

Sen inmutarse, Bob abalanzouse cara á liña de meta.

–HA! HA! HA! HA! HA! HA! HA! HA! HA! HA! HA! HA! HA! HA! HA! HA! HA! HA! HA! HA! HA! HA! HA! HA! HA! HA! HA! HA! HA! HA! HA! HA! HA! HA! HA! HA! HA! HA! HA! HA! HA! HA! HA! HA! HA! HA! HA! HA! HA! HA! HA! HA! HA! HA! HA! HA! HA! HA! HA! HA! HA! HA! HA! HA! HA! HA! HA! HA! HA! HA! HA! HA! HA! HA! HA! HA! HA! HA! HA! HA! HA! HA! HA! HA! HA! HA! HA! HA! HA! HA! HA!

Os compañeiros esmendrellábanse co riso, algúns ás envorcalladas, sinalando para Bob, que tiraba dos folgos dobrado polo medio e medio.

Ó mirar para atrás, a Joe entroulle un pouco de remorso. Cando a rapazada se dispersou, acercouse a Bob e axudoulle a incorporarse.

–Grazas –dixo.

–De nada –respondeu Bob–. A verdade é que che debín ceder o posto gratis. Se entrases de último o primeiro día, habíancho recordar toda a vida. Pero o ano que vén apáñaste só. Nin por un millón de libras me deixo gañar. Derradeiro nunca máis!

Joe acordouse do cheque de dous millóns que recibira polo aniversario.

–E por dous? –dixo, de brincadeira.

–Por dous si! –contestou Bob, rindo–. Uf, había ser boa se tiveses de veras tanta pasta. Que loucura! Seguro que comprabas todo canto se che antollase!

Joe obrigouse a sorrir.

–Si –dixo–. Pode ser…

4

«Papel do váter?»

–Daquela esqueciches a propósito o equipo de ximnasia? –preguntou Joe.

Para cando Joe e Bob completaron a carreira (ou andaina, por mellor dicir), o señor Bruise xa fechara os vestiarios. Estaban chantados perante o edificio de formigón gris; Bob seguía en calzóns e tremía co frío. Xa foran buscar a administrativa, pero no colexio non quedaba unha alma. Agás o conserxe. Que polo visto non falaba inglés. Nin ningún outro idioma, a verdade sexa dita.

–Non –respondeu Bob, un pouco ofendido–. Correr non correrei moi ben, pero tan covarde non son.

Atravesaron con pesadume o patio do colexio, Joe en camiseta de tirantes e pantalón curto, Bob en camiseta interior e calzóns. Semellaban dous rapaces descartados da audición para formar un grupo musical de adolescentes.

–Entón quen cho levou? –preguntou Bob.

–Vai saber. Igual os Grubb. Son os matóns do cole.

–Os Grubb?

–Si. Son xemelgos.

–Ah –dixo Joe–. Aínda non os coñezo.

–Dálles tempo –contestou Bob en ton apesarado–. Escoita, agora remórdeme a conciencia por collerche os cartos do aniversario…

–Pois queda tranquilo, que non hai problema –dixo Joe.

–Pero mira que cincuenta libras é moita ferraña –insistiu Bob.

Para os Spud, cincuenta libras eran unha miseria. Velaquí uns cantos usos que lles podían dar Joe e o pai ós billetes de cincuenta:

- Prendelos a modo de xornal vello para acender a churrasqueira.
- Gardar un feixe deles a carón do teléfono para tomar notas.
- Forrar a gaiola do hámster con presas deles e refugalos á semana seguinte, cando empezasen a cheirar a pis de roedor.
- Darlle un ó devandito hámster para que se secase con el despois da ducha.

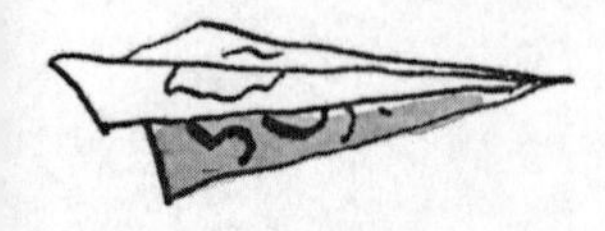

- Utilizalos como filtros para a cafeteira.
- Confeccionar con eles sombreiriños de papel para lucilos no Nadal.
- Fungar os mocos neles.
- Cuspirlles a goma de mascar xa pasada, estrullalos e entregarllos a un mordomo que pola súa vez llos entregaría a un criado que pola súa vez llos entregaría a unha doncela que pola súa vez tiraría con eles ó balde do lixo.
- Facer con eles avionciños de papel e botalos a voar un contra outro.
- Empapelar con eles o aseo de abaixo.

–Por certo, non che preguntei en que choia o teu pai –dixo Bob.

A Joe deulle un arrepío.

–Eeeh… Pois traballa en… isto… Fabrica papel do váter –dixo, mentindo só un pouquechiño de nada.

–Papel do váter?! –preguntou Bob. Non deu disimulado o sorriso.

–Si –respondeu Joe, en ton desafiante–. Fabrica papel do váter.

A Bob borróuselle o sorriso da cara.

–Pois niso moito non ha cobrar.

Joe fixo unha careta.

–Eeeh… Non, moito non.

–Entón seguro que o home tivo que aforrar semanas enteiras para che poder regalar cincuenta libras. Toma. –Bob devolveulle a Joe con moito xeito o billete de cincuenta, que a aquelas alturas xa collera algunha engurra que outra.

–Non, non, queda con el –negouse Joe.

Bob meteulle o billete na man pola forza.

–Que non, que é o teu agasallo de aniversario. É teu.

Joe sorriu, vacilante, e cerrou a man.

–Grazas, Bob. E o teu? En que traballa o teu pai?

–Morreu o ano pasado.

Seguiron a camiñar en silencio un anaquiño. Joe non oía máis cós latexos do seu corazón. Non se lle ocorría nada que dicir. O único que pensaba era que o seu novo amigo lle daba moitísima pena. Ó cabo recordou que, cando morría alguén, algunha xente dicía «Síntoo moito».

–Síntoo moito –dixo.

–Ti non tes culpa –contestou Bob.

–Quero dicir que lamento moito que morrese.

–Eu tamén.

–E de que…? Xa sabes.

–De cancro. Foi espantoso. Foise ensumindo e ensumindo, e un día viñéronme sacar do colexio e leváronme ó hospital. Estivemos non sei cantas horas sentados de par da súa cama, e sentíaselle respirar así como roncando, e de súpeto deixouse de oír. Fun chamar a enfermeira e ó entrar no cuarto dixo que o meu pai «finara». Agora quedamos sós miña nai e mais eu.

–E a túa nai en que traballa?

–Nun supermercado Tesco. De caixeira. Coñecéranse alí. O meu pai facía a compra todos os sábados pola mañá. Sempre dicía de brincadeira: «Fun por un cartón de leite e volvín cunha esposa!».

–Era moi gracioso, non? –dixo Joe.

–Era –contestou Bob, sorrindo–. A miña nai tenche tamén outro emprego. Polo serán fai a limpeza nunha residencia de vellos. Para chegarmos a fin de mes.

–Vaia –dixo Joe–. E non acaba derreada?

–Acaba –dixo Bob–. Por iso me encargo eu de moitas angueiras da casa e tal.

Joe sentía unha pena infinita por Bob. Dende os oito anos, Joe nunca tivera que mover un dedo na casa: sempre estaba o mordomo, ou a doncela, ou o xardineiro, ou o chofer ou quen tocase para facer as cousas. Tirou o billete do peto. Se había no mundo unha persoa a quen lle fixesen falta os cartos máis ca a el era Bob.

–Por favor, Bob, queda coas cincuenta libras.

–Que non, que non chas quero. Dáme cargo de conciencia.

–Pois déixame polo menos que te invite a chocolate.

–Iso si cho acepto –respondeu Bob–. Veña, imos á de Raj.

5

Ovos de Pascua caducados

TINTÍN!

Non, meus lectores, non foi o timbre da vosa casa. Escusades de vos poñer de pé. Foi a campaíña que soou cando Bob e Joe abriron a porta do quiosco de Raj.

–Ah, Bob! O meu cliente preferido! –exclamou Raj–. Pasa, pasa!

Raj era o quiosqueiro do barrio. A rapazada idolatrábao. Era coma ese tío simpático que todo o mundo querería ter. E, por maior abastanza, vendía larpeiradas.

–Ola, Raj! –saudouno Bob–. Preséntoche a Joe.

–Ola, Joe! –exclamou Raj–. Dous lambóns na miña tenda ó mesmo tempo! Hoxe veume ver Deus! E como é que andades tan pouco abrigados?

–É que vimos dereitiños de facer unha carreira campo a través, Raj –explicou Bob.

–Que ben! E que tal quedastes?

–Primeiro e segundo… –respondeu Bob.

–Que marabilla! –exclamou Raj.

–… empezando pola cola –engadiu Bob.

–Non tan marabilla. Pero seguro que vides esfameados despois de tanto exercicio. Que vos ofrezo?

–Queriamos comprar algo de chocolate –dixo Joe.

–Pois estades no sitio perfecto. Téñovos a mellor selección de barriñas de chocolate deste bloque! –proclamou Raj con orgullo. Tendo en conta que os outros locais do edificio eran unha lavandería e unha florería que levaba toda a vida pechada, a cousa non revestía demasiado mérito, pero os rapaces tampouco lle levaron a contraria.

O caso é que Joe tiña unha cousa moi clara, ou máis ben clarísima: que o chocolate non tiña que ser caro para saber a gloria. De feito, despois duns anos embuchando cantidades industriais dos melloriños chocolates belgas e suízos, o pai e el chegaran á conclusión de que non estaban nin a metade de saborosos ca unha barriña Yorkie das de toda a vida. Ou ca unha bolsa de botóns de chocolate Minstrels normais e correntes.

Ou, e aquí entramos xa en padais expertos, un Double Decker, coa súa base de cereais crocantes e a súa capa de chocolate cremoso.

–Avisádeme se precisades axuda, de acordo? –dixo o quiosqueiro.

Raj tiña os produtos organizados a treo. Por que a revista masculina *Nuts* estaba xunta os correctores Tipp-Ex? Se non atopabas as gominolas Jelly Tots era perfectamente posible que estivesen ocultas baixo un número de 1982 do xornal *Sun.* E que facían os post-it dentro do conxelador?

Así e todo, a veciñanza seguía mercando naquel quiosco porque lle querían moito a Raj, e, pola súa vez, Raj queríalles moito ós seus seareiros, sobre todo a Bob. Bob contábase sen dúbida ningunha entre os seus mellores clientes.

–De momento imos botar un ollo, moitas grazas –respondeu Bob. Estaba examinando as infinitas fileiras de lambetadas á procura de algo especial. Por unha vez na vida, os cartos non eran problema, que para algo Joe levaba no peto un billete de cincuenta. Mesmo podían custear un dos ovos de Pascua caducados de Raj.

–Hoxe as barriñas Wispas están de vicio, señores. Acabadiñas de chegar esta mesma mañá –suxeriulles Raj.

–De momento só estamos mirando, moitas grazas –respondeu Bob con cortesía.

–Os ovos reenchidos de crema de chocolate de Cadbury estanvos en sazón –recomendou o quiosqueiro.

–Grazas –contestou Joe, cun sorriso educado.

–Recordade que estou aquí para o que faga falta –dixo Raj–. Se tedes algunha dúbida ou pregunta, resólvovola encantado.

–Perfecto –dixo Joe.

Fíxose un silencio.

–Un detalle nada máis: as barriñas Flake acabáronseme –engadiu Raj–. Esquecérame avisarvos. Nada, un problemiña co provedor, pero mañá debería telas outra vez á venda.

–Moitas grazas polo aviso –dixo Bob.

Joe e el miráronse. Xa lles tardaba que o quiosqueiro os deixase elixir en paz.

–Recoméndovos un Ripple. Antes de chegardes tomei unha barriña desas e esta tempada están de chuchar os dedos.

Joe asentiu, moi cortés el.

–Ben, déixovos para que decidades. Recordade que ando por aquí para o que precisedes.

–Podo escoller este chocolate con leite? –preguntou Bob, que agarrara unha tableta xigantesca de Dairy Milk de Cadbury para lle pedir permiso a Joe.

Joe botouse a rir.

–Xaora, ho!

–Excelente elección, cabaleiros. Xusto hoxe está de oferta: se comprades dez, levades unha gratis –dixo Raj.

–Penso que de momento ben nos basta unha, Raj –respondeu Bob.

–Pois comprade cinco e levades media gratis.

–Non, grazas –dixo Joe–. Canto é?

–Tres libras con vinte peniques.

Joe tirou o billete de cincuenta.

Raj mirouno con abraio.

–Meu Deus! É a primeira vez na vida que vexo un destes! Ti seguro que nadas na abundancia, rapaz!

–Que vou nadar! –dixo Joe.

–É que llo deu o pai polo seu día de anos –interveu Bob.

–Pois que sorte tiveches! –dixo Raj. Escrutou a Joe con atención–. A verdade é que a min me soas de algo.

–Ah, si? –respondeu Joe, nervioso.

–Si, estou seguro de que xa te teño visto nalgún sitio. –Raj petaba no queixo mentres facía memoria. Bob miraba para el sen entender nada–. Ahá! –saltou Raj por fin–. Aínda estoutro día vin unha foto túa nunha revista!

–Dubídoo moito, Raj –riu Bob–. O pai traballa facendo papel do váter!

–Xusto! –gritou Raj. Revisou a toda velocidade unha pía de xornais vellos e tirou un exemplar do suplemento «Anuario de Grandes Fortunas» do *Sunday Times.*

A Joe empezou a entrarlle o pánico.

–Eu teño que marchar.

O quiosqueiro púxose a follealo con rapidez.

–Aquí estás! –Raj sinalaba para unha fotografía de Joe, que aparecía sentado nunha postura un pouco rara no capó do seu Fórmula 1, e a continuación leu en voz alta o texto que a acompañaba–: «Os menores máis ricos de Gran Bretaña. Número un: Joe Spud, doce anos. Herdeiro do imperio Suavicú. Fortuna estimada: 10 000 millóns.»

A Bob caeulle da boca ó chan un cacho enorme de chocolate.

–Dez mil millóns?!

–Eu non teño dez mil millóns nin de broma! –negou Joe–. Os da prensa son uns esaxerados. Terei oito mil millóns como moito. E tanto dá, porque de momento non podo nin tocalos.

–Oito mil segue a ser unha burrada! –chiou Bob.

–Home, visto así, si.

–Por que non mo contaches? Crin que eramos amigos.

–Perdoa –tatexou Joe–. É que quería ser normal. E dá moita vergonza ser fillo dun multimillonario que fixo fortuna co papel hixiénico.

–De vergonza nada! O que ten que darche é orgullo! –exclamou Raj–. O teu pai é un exemplo a seguir para todos nós. Un home corrente que se fixo ultramillonario grazas a unha idea sinxela!

Era a primeira vez que Joe vía o seu pai con aqueles ollos.

–Leonard Spud revolucionou para sempre xamais a limpadura dos baixos! –riu Raj.

–Grazas, Raj.

–Hasme facer un favor: dille ó teu pai que xusto acabo de empezar a usar o Suavicú e estou encantado! Nunca tiven as asentadeiras tan relucentes! Ala, ata outra!

Os dous rapaces botaron a andar pola rúa sen dar palabra. O único que se oía era o ruidiño de Bob a chuchar o chocolate por entre os dentes.

–Enganáchesme –dixo Bob.

–Home, díxenche que choiaba no do papel do váter –respondeu Joe, bastante incómodo.

–Si, pero…

–Xa sei. Perdón. –Joe só fora ó colexio un día e o seu segredo xa saíra á luz–. Toma, queda coas voltas –dixo Joe, metendo a man no peto para sacar os dous billetes de vinte libras.

Bob parecía molesto.

–Non quero o teu diñeiro.

–Pero se son multimillonario! –dixo Joe–. E o meu pai, megamultimillonario! Non sei canto diñeiro terá exactamente, pero ha de ser unha animalada. Veña, cóllemo. E toma estes tamén. –Tirou un rolo de billetes de cincuenta.

–Non cho quero –dixo Bob.

Joe demudouse. Non daba creto.

–E por que?

–Porque os cartos me dan igual. Fun contigo porque me caías ben e xa está.

Joe sorriu.

–A min tamén me caíches ben ti. –Tusiu–. Escoita, pídoche perdón por non contarcho. É que… os rapaces do outro colexio se metían comigo por ser o fillo do fulano do Suavicú. E apetecíame ser un neno normal, para variar.

–Non che me estraña nada –dixo Bob–. O de empezar de cero soa bastante ben.

–Si –concordou Joe.

Bob parou e alongou a man.

–Chámome Bob –dixo.

Joe apertoulla.

–Eu son Joe Spud.

–Hai máis segredos?

–Non –contestou Joe cun sorriso–. Só había ese.

–Mellor –dixo Bob, sorrindo tamén.

–Non o irás contar no colexio, va que non? –preguntou Joe–. O de que son milmillonario. Dáme moita vergonza. Sobre todo cando se sabe de onde saíu a fortuna do meu pai. Pídocho por favor.

–Se ti non queres, eu non conto nada.

–Non quero, non.

–Pois daquela, caladiño coma un peto.

–Grazas.

Seguiron camiñando os dous pola rúa. Ó cabo duns pasos, Joe xa non aguantou máis. Encarou a Bob, que xa botara ó bandullo a metade da supertableta de Dairy Milk.

–Dásme unha miguiña de chocolate? –preguntou.

–Por suposto! É para compartir –contestou Bob, e partiu unha onciña diminuta de chocolate para o seu amigo.

6

Os Grubb

–Ei! Bobolo! –sentiron berrar ás súas costas.

–Ti sigue andando –dixo Bob.

Joe virou a cabeza e albiscou uns xemelgos. Tiñan un aspecto terrorífico: figuraban gorilas disfrazados de humanos. Botou de contas que serían os tremendos irmáns Grubb dos que lle falara Bob.

–Non mires para atrás –insistiu Bob–. Falo en serio. Sigue andando coma se nada.

A Joe empezaba a pesarlle non encontrarse san e salvo no cómodo asento traseiro do seu Rolls Royce con chofer, no canto de indo a pé á parada do bus.

–BOCOI!

Joe e Bob apuraron o ritmo, pero seguían oíndo pasos por detrás. O ceo invernal xa estaba empardecendo, e iso que aínda era cedo. De pronto prendéronse os farois cun relampo e no chan mollado formáronse manchas de luz amarela.

–Por aquí, rápido! –exclamou Bob.

Os rapaces metéronse a correr por unha calella e escondéronse detrás dun xigantesco colector verde que alguén aparcara á porta traseira dun restaurante da cadea Bella Pasta.

–Coido que os despistamos –murmurou Bob.

–Son os Grubb? –preguntou Joe.

–Chist! Baixa a voz!

–Perdón –bisbou Joe.

–Si, son os Grubb.

–Os que se meten contigo?

–Os tales. Son xemelgos idénticos. Dave e Sue Grubb.

–Sue?! Un deles é muller? –Joe estaba por xurar que, cando xirara a cabeza e vira os xemelgos a perseguilos, os dous tiñan bastante barba.

–Si, Sue é muller, claro –respondeu Bob, coma se Joe fose medio parvo.

–Daquela non poden ser idénticos –dixo Joe, aínda en murmurios–. Como van ser idénticos, se un é home e a outra é muller?

–Xa, pero como non hai quen os diferencie…

De súpeto, Joe e Bob sentiron uns pasos que se acercaban por momentos.

–Aquí cheira a gordos! –chegou unha voz dende o outro lado do colector de lixo.

Os Grubb empurrárono para un lado, aproveitando que tiña rodas, e descubriron a Joe e Bob encrequenados detrás del. Joe botoulles ós xemelgos a primeira mirada en condicións. Bob falara con razón. Os Grubb eran cuspidiños. Levaban o mesmo corte de pelo a cepillo, tiñan os cotobelos peludos e lucían senllos bigotóns que non lle facían favor ningún a ningún dos dous.

Veña, vamos xogar a un pasatempo cos Grubb.

Busca as dez diferenzas entre estes dous:

Va que non as atopas? É porque son o que se di cagados.

Un refacho xélido ouveou na calella e empurrou polo chan con estrondo unha lata baleira. Nos arbustos remexeuse algo.

–Que tal a carreira sen a roupa de ximnasia, Bobolo? –mofouse un dos Grubb.

–Xa sabía eu que forades vós! –berrou Bob, moi enfadado–. Que fixestes con ela?

–Estache no canal! –burlouse o outro.

–Veña, trae para acá o chocolate.

Nin sequera pola voz se distinguía cal era Dave e cal Sue. Os dous alternaban agudos e graves dentro da mesma frase.

–É que lle quero reservar un pouco á miña nai –queixouse Bob.

–Pois mala sorte –dixo o outro Grubb.

–Que zoches o chocolate, gordo ******! –porfiou o outro.

Teño que confesar, meus lectores, que o de ****** é unha palabra malsoante. Outros exemplos de palabras malsoantes serían *****, ******** e, nin que dicir ten, ese exemplo máximo de grosería que é **********************. Se non sabedes palabras malsoantes, o mellor será que lles pidades ós vosos pais, mestres ou adultos de confianza que vos proporcionen unha lista delas.

Por exemplo, velaquí vos poño algunhas das bocaladas que coñezo eu:

Xinrúo
Cruchón
Núblego
Racorgo
Chingallotes
Trambollo
Firpán
Fedrón
Náxaros
Blimbloque
Cubritón
Tronchamocha
Xufergo
Chumilón
Burrumentoxo
Gorrosco
Chimplopana
Truquefín
Gúatrico

Lopecastro

Musmús

Frincoques

Pendestrelo

Bulabula

Burmiñón

Fudeflopis

Cacalín

Herbiluso

Rechouchasco

Luzmorela

Tragalloso

Blanfán

Vóxaro

Cacho vugán

Xirmirixoque

Pinguilín

Pumbo

Dropallo

Fucufú

Chorco

Parpufeiro

Bimbín

Noneco

Humidifrusco

Póncaro

Leilolán

Bruncacola

Gulo

Minquirrá

Pumpún

Chíquili píquili

Roñacarroña

Bucabón

Luximbreiro

Noquinoiteira

Lasimán

Pimplachoca

Vartucho

Todas estas palabras son tan malsoantes que nin en soños ousaría utilizalas neste libro.

–Deixádeo en paz! –dixo Joe. Mais enseguida se arrepentiu de facerse notar, porque entón os Grubb deron un paso cara a el.

–E se non, que? Eh? –respondeu ou ben Dave, ou ben Sue. Fose cal fose, alcatreáballe o alento a patacas fritidas sabor cóctel de gambas, porque acababa de arrebatarlle unha bolsa de Skips a unha nena de terceiro.

–Se non… –Joe pensou e repensou á procura dalgunha ameaza capaz de aniquilar aqueles matóns para sempre xamais.– … levaría moi mala impresión de vós.

Moi aniquilador non lle quedou que digamos.

Os Grubb botáronse a rir. Ripáronlle a Bob da man o que quedaba do Dairy Milk de Cadbury e logo aferrolláronlle os brazos. Levantárono do chan e, con Bob a pedir auxilio, tiraron con el para dentro do colector. Cando Joe quixo reaccionar, os Grubb xa estaban liscando coma cabalóns pola calella, rindo ás gargalladas e co fociño enzoufado de chocolate roubado.

Joe achegou un caixón de pau ó colector e montou nel para chegar máis alto. Asomouse para dentro e agarrou a Bob polos sobrazos. Turrando con todas as súas forzas, empezou a sacar o seu pesado amigo do lixo.

–Estás ben? –preguntoulle, batallando co peso de Bob.

–Perfectamente. Fanme así case que a diario –contestou Bob. Sacou dos rizos uns espaguetes con parmesano, parte dos cales igual levaban alí dende a última vez que os Grubb tiraran con el ó colector.

–E por que non llo contas á túa nai?

–Porque non a quero preocupar. Bastantes cousas ten xa na cabeza –respondeu Bob.

–Daquela podíaslo contar a algún profe.

–Os Grubb ameazáronme con meterme unha malleira se llo conto a alguén. Aínda que os expulsasen, saben onde vivo e poden vir por min –contestou Bob. Parecía a piques de chorar. A Joe non lle gustaba ver o seu novo amigo tan agoniado–. Algún día heime vingar, xúrocho. O meu pai sempre dicía que o mellor que podes facer cos matóns é arrepoñerte a eles. E eu heime arrepoñer. Algún día.

Joe mirou para o seu novo amigo, alí chantado nunha calella, en roupa interior e rebozado en lavaduras de comida italiana. Imaxinou a Bob facéndolles fronte ós Grubb. Habíano deixar feito papa.

«Pero igual hai outra forma», pensou. «Ó mellor consigo que os Grubb o deixen tranquilo dunha vez por todas.»

Sorriu. Aínda lle proía a conciencia por pagarlle a Bob para que chegase derradeiro na carreira. De pronto tiña a oportunidade de compensarllo. Se o seu plan daba resultado, Bob e el ían ser máis ca amigos. Ían ser os mellores amigos do mundo.

7

Torradas de xerbo

–Toma, un agasallo –dixo Joe. Estaba sentado con Bob no banco do patio, mirando como os rapaces máis áxiles xogaban ó fútbol.

–Que sexas multimillonario non te obriga a comprarme cousas –obxectou Bob.

–Ben o sei, pero… –Joe tirou unha tabletaza enorme de Dairy Milk da carteira. A Bob acendéuselle un pouco a mirada, ó seu pesar.

–Podemos compartila –dixo Joe. E, coa mesma, crebou unha onciña que pola súa vez partiu pola metade.

Bob púxose pálido.

–Era broma! –riu Joe–. Toma. –E entregoulle a tableta a Bob para que se servise el mesmo.

–Ai, non –laiouse Bob.

–Que foi? –preguntou Joe.

Bob sinalou. Os Grubb avanzaban engorde polo patio en dirección a eles, polo medio e medio dos partidos de fútbol. Tampouco é que ninguén ousase reprochárllelo.

–Agochémonos, rápido! –dixo Bob.

–Onde?

–No comedor! Aí non se atreven a entrar. Nin eles nin ninguén, vaia.

–E logo?

–Xa verás.

Metéronse a balavento no comedor, que estaba totalmente deserto salvo por unha cociñeira solitaria.

Os Grubb irromperon nel uns segundos despois. Seguía sen distinguirse cal era o home e cal a muller.

–O que non veña xantar, fóra! –berrou a señora Trafe.

–Pero… Señora Trafe… –dixo Dave ou dixo Sue.

–FÓRA!

Os xemelgos recuaron de mala gana mentres Joe e Bob se aproximaban con cautela ó mostrador.

A señora Trafe era unha señora repoluda e riseira, da mesma idade ca todas as cociñeiras escolares do mundo. De camiño ó comedor, Bob explicáralle a Joe que era bastante simpática, pero que amañaba unhas galdrumadas repugnantes. Os alumnos non llas probaban así os matasen.

Tamén é certo que seguramente habían morrer de todas todas se metesen aquela bazofia no corpo.

–E este quen é? –inquiriu a señora Trafe, escrutando a Joe.

–Élle un amigo meu; chámase Joe –contestou Bob.

Malia o gafume que inundaba o comedor, Joe sentiu unha caloriña agradable por dentro. Era a primeira vez na vida que alguén lle chamaba amigo!

–Moi ben, e que vos apetece xantar hoxe, nenos? –preguntoulles a señora Trafe cun sorriso afable–. Fixen unha empanada de teixugo encebolado moi rica. E teño unha fritura de ferruxe que me quedou bárbara. Ah, e para os vexetarianos preparei patacas asadas con queixo de calcetín.

–Mmm, ten todo unha pinta boísima –mentiu Bob, mentres os Grubb os fulminaban coa mirada a través da fiestra cotrosa.

A comida da señora Trafe era verdadeiramente indescritible. Velaquí un exemplo do seu menú escolar dunha semana calquera:

Luns

Sopa do día: caldo de avespa

Torradas de xerbo

ou

Lasaña de pelos (opción vexetariana)

ou

Filete de ladrillo

Gornición xeral: fritura de cartón rebozado

Sobremesa: torta de suor (porción)

Martes

Sopa do día: consomé de eiruga

Macarróns ó moco (opción vexetariana)

ou

Pastel de xabaril atropelado

ou

Tortilla de chancletas

Gornición xeral: ensalada de arañeiras

Sobremesa: xeado de unllas dos pés

Mércores

Sopa do día: crema de ourizo cacho

Paella de papagaio (pode conter froitos secos)

ou

Arroz caldoso de caspas

ou

Bocadillo de miga de pan (pan reenchido de pan)

ou

Gatiño á grella (opción de réxime)

ou

Boloñesa de terra

Gornición xeral: madeira fervida

ou limaduras de ferro fritidas (a escoller)

Sobremesa: tortaleta de cagallas de esquío con

nata batida ou con xeado

Xoves: especial cociña chinesa

Sopa do día: sopa de tinta chinesa

Entrante: roliños de primavera

(papel A4 ou A3) con flegma agridoce

Principal: fideos con toalliñas húmidas (vegano)

ou

Arroz tres delicias (avelaíña, lagarto

e verme de seda)

ou

Wok de tritón (superpicante)

Gornición xeral: fritura de carrañas á pequinesa

Sobremesa: refrescante sorbete de area

Venres

Sopa do día: caldeirada de sapoconcho

Bisté de lontra á prancha

ou

Quiche de curuxa (apto para xudeus)

ou

Caniche fervido

(non apto para vexetarianos)

Gornición xeral: goldroada de carne

Sobremesa: escuma de pluma

–Que difícil decidirse… –dixo Bob, estudando con desesperación as bandexas á busca de algo comestible–. Hum… Penso que nos ha abondar con dúas patacas asadas, se fai favor.

–A min poderíama servir sen o queixo de calcetín? –solicitou Joe.

Bob mirou para a señora Trafe, a ver se había sorte.

–Se prefires, póñoche por riba unhas lascas de cerume. Ou adóbocho mellor cunhas caspiñas? –ofreceulle a señora Trafe cun sorriso.

–Hum… Mellor a pataca tal cal, a secas –dixo Joe.

–E un chisquiño de balor cocido? Uns mozotes en idade de medrar… –insistiulles a señora Trafe, brandindo un cullerón dunha inefable masa verde.

–É que estou a réxime, señora Trafe –dixo Joe.

–Eu tamén –apuntouse Bob.

–Que mágoa! –lamentouse a cociñeira–. Porque xusto hoxe teño unha sobremesa fantástica: medusa con crema pasteleira.

–Xusto o que máis me gusta do mundo! –dixo Joe–. Que lle imos facer.

Levou a bandexa para unha mesa baleira e sentou. Cando foi triscar a pataca co garfo e o coitelo, decatouse de que á señora Trafe lle esquecera asala.

–Que tal as pataquiñas? –preguntoulles ela dende a outra punta do comedor.

–Riquísimas, grazas, señora Trafe! –contestoulle Joe, dándolle voltas á pataca crúa. Aínda tiña terra pegada na monda, e mesmo albiscou un vermiño que asomaba dela–. Cando as asan de máis non me gustan nada. Quedoulle ó punto!

–Que ben! –dixo ela.

Bob tentaba mastigar a súa, pero aquilo estaba tan incomestible que se botou a chorar.

–Que foi, filliño? –berroulle a señora Trafe dende o mostrador.

–Nada, nada! É que está tan deliciosa que choro de alegría! –disimulou Bob.

RRRRRRRRRRRRRIIIIIIIIIIIIIIIIIIINNNNNNN-NNNNNNNGGGGGGGGGG!

Vólvovos advertir, meus lectores, que iso non foi o timbre da vosa casa, senón o do colexio, que marcaba a fin da hora de xantar.

Joe soltou un suspiro de alivio. Xa podía saír do comedor.

–Ai, que pena, señora Trafe –dixo–. Temos que marchar correndo á clase de Mates.

A señora Trafe achegouse coxeando ata a mesa e estudou os pratos.

–Pero se case nin as tocastes! –exclamou.

–Si, que mágoa, é que son tan contundentes… Pero moi ricas, eh? Riquísimas! –dixo Joe.

–Ahá –concordou Bob, aínda chorando.

–Non pasa nada. Gárdovolas na neveira para mañá.

Joe e Bob miráronse con horror.

–Non se moleste, en serio, non fai falta –dixo Joe.

–Non che é molestia ningunha. Ata mañá logo. E xa veredes que pratos especiais hei ter. Como é o aniversario do bombardeo de Pearl Harbor, farei receitas xaponesas. Vou poñer sushi de pelo sobaqueiro e despois tempura de cágados… Ei, nenos! Nenos?

–Coido que marcharon os Grubb –dixo Bob tras escapulírense como puideron do comedor–. Vou un momentiño ó váter.

–Agardo aquí por ti –respondeu Joe, e apoiouse de lado contra a parede cando Bob se meteu por unha porta.

En condicións normais, Joe había de dicir que aqueles aseos cheiraban mal, e daríalle unha grima espantosa ter que facer as súas cousas neles, comparante á intimidade do seu cuarto de baño con cuarto de baño secundario e cuarto de baño terciario, equipado con bañeira tamaño emperador. Pero o certo era que os váteres do colexio cheiraban mellor có comedor.

De repente, Joe intuíu a presenza de dúas figuras ás súas costas. Xa nin tivo que xirarse. Sabía que eran os Grubb.

–Onde vai? –dixo un.

–No váter dos rapaces, pero non podedes entrar –dixo Joe–. Ou polo menos un de vós non pode, vaia.

–E a tableta de chocolate? –preguntou o outro.

–Tena el –contestou Joe.

–Daquela esperamos –dixo un dos Grubb.

O outro Grubb encarou a Joe cunha mirada asasina.

–E ti dános unha tableta. Ou queres que che anestesiemos o brazo?

Joe tragou saliva.

–A dicir verdade… alégrome de topar convosco, rapaces. Ben, rapaz e rapaza, evidentemente.

–Evidentemente –dixo Dave ou dixo Sue–. Ciricha a libra.

–Un momento –contestou Joe–. Estaba eu pensando que…

–Anestésialle o brazo, Sue –dixo un Grubb, revelando por fin cal dos dous era home e cal muller. Pero entón os dous agarraron a Joe asemade, puxérono de costas e fixéronlle perder a conta outra vez.

–Non! Agardade! –dixo Joe–. Escoitade, quería propoñervos un trato…

8

A Bruxa

RRRRRRRRRRRIIIIIIIIIIIIIIINNNNNNNN-GGGGGGGGGG!

–A clase acaba cando o digo eu, non o timbre! –rifou a señorita Spite. Ós mestres encántalles dicir iso. É unha das súas frasiñas clásicas, como seguro que xa sabedes. O decálogo de frases clásicas dos mestres vén sendo así:

No posto dez… «Sen correr! Andando coma as persoas!»

Ben afianzado no posto nove… «Como iso sexa goma de mascar…»

En oitavo posto, tras subir tres… «Non quero oír murmurios.»

Instalado no posto sete, tras pasar polo primeiro... «Porque o digo eu e punto.»

Toda unha novidade no posto seis... «Cantas veces hai que repetilo?»

Descendido ó quinto posto... «Esa ortografía!»

Outro clásico no posto cuarto... «O chan non é unha papeleira!»

Acabado de chegar ó terceiro posto... «Xa virán os choros no exame!»

A puntiño de situarse en cabeza... «Ti na túa casa raias os mobles?»

E o eterno número un... «Unha vergonza para ti mesmo e para todo o colexio.»

A profesora de Historia era a señorita Spite. A señorita Spite atufaba a repolo podre. E esa era a súa mellor virtude. Sempre fora unha das mestras máis temidas do colexio. Cando sorría, semellaba un crocodilo a punto de devorarte. A señorita Spite era moi amiga de poñer castigos. Unha vez cascáralle un parte a unha rapaza por tirar unha ervella ó chan no comedor. «Quéreslle baleirar o ollo a alguén?!», berráralle.

Á rapazada do colexio gustáballe moitísimo buscarlles alcumes ós mestres. Algúns eran cariñosos; outros, crueis. Ó mestre de Francés, o señor Paxton, chamábanlle «o Tomate», porque tiña a cara redonda e vermella coma un tomate. O director, o señor Dust, levaba o alcume de «o Sapocончо» porque era tal cal: tiña máis anos ca Matusalén, estaba engurrado coma unha pasa e camiñaba a un centímetro por hora. Ó subdirector, o señor Underhill, puxéranlle «o Sobacos» porque cheiraba un pouco, sobre todo no verán. E a señora McDonald, a mestra de Bioloxía, alcumábana «a Muller Barbuda» ou incluso «a Chewbacca», porque… En fin, xa imaxinades.

Mais á señorita Spite chamábanlle simplemente «a Bruxa». Era o único alcume que lle cadraba, e fora pasando de promoción en promoción.

Tamén hai que dicir que os seus alumnos aprobaban sempre e sen excepción. Que remedio, co aterrorizados que os tiña.

–Aínda temos pendente o asuntiño dos deberes de onte –anunciou a señorita Spite con ansia malévola, coma se estivese desexando que alguén non llos levase feitos.

Joe meteu a man na carteira. Horror. Non tiña o cartafol! Pasara toda a noite a escribir aquela soporífera redacción de cincocentas palabras sobre unha raíña do tempo de Maricastaña, pero debera quedarlle na cama ó marchar ás présas.

«Oh, non», pensou. «Non, non, non, non, non…»

Joe mirou para Bob, pero o seu amigo non tiña que facerlle, salvo poñer unha careta de compaixón.

A señorita Spite axexaba pola aula coma un *Tyrannosaurus rex,* tentando decidir que criatura ía devorar en primeiro lugar. Para gran desilusión dela, un campo de manciñas lordentas ían ondeando as redaccións ó seu paso. Foinas acadando todas… ata chegar a Spud.

–S-s-señorita… –tatexou Joe.

–Diiiiiiiiiiiiiiime, Spuuuuuuud –respondeu a señora Spite, alongando as palabras o máximo posible para saborear con fruición aquel instante delicioso.

–Eu facer fixen o deber, pero…

–Si, seguro que si! –burlouse a Bruxa cunha gargallada. Quitando Bob, os compañeiros mofáronse tamén del. Nada daba máis gusto ca ver os demais nun enguedello.

–… quedoume na casa.

–Castigado a limpar o patio! –espetoulle a mestra.

–Non lle é mentira, señorita. E o meu pai ha de estar na casa agora mesmo. Se me deixa que…

–Ha! Era visto! O teu pai non terá nin oficio nin beneficio e pasará o día estomballado no sofá a ver trapalladas pola tele mentres os demais lle pagamos o paro. Tal cal farás ti de aquí a dez anos, verdade?

Joe e Bob non puideron evitar compartir un sorriso sabedor ó oír aquilo.

–Eh… –dixo Joe–. Podo chamalo para que se acerque un momentiño e me traia a redacción?

A señorita Spite sorriu de orella a orella. Aquilo ía ser unha gozada.

–Spud, douche un cuarto de hora, nin un minuto máis, para que me entregues a redacción. Espero que o teu pai camiñe rápido!

–Pero… –empezou a obxectar Joe.

–Nin pero nin pera. Quince minutos de reloxo.

–Pois moitísimas grazas –respondeu Joe con sarcasmo.

–Moitísimas de nadas –contestou a Bruxa–. Fago gala de que todos os meus alumnos teñan ocasión de rectificar os seus erros na miña clase. –Dirixiuse entón ós demais alumnos–. Vosoutros xa podedes marchar –dixo.

A caninea comezou a saír ó corredor en masa. A señorita Spite asomouse pola porta e berroulles:

–Sen correr! Andando coma as persoas!

Non se puido resistir a soltar outra frasiña típica. Era a raíña das frasiñas típicas. Unha vez que empezaba, non tiña paraxe.

–Porque o digo eu e punto! –gritoulles ós alumnos, aínda que non viña a conto de nada. Para entón xa estaba embalada–. Como iso sexa goma de mascar…! –berroulle polo corredor adiante a un inspector que pasaba por alí.

–Quince minutos, señorita? –preguntou Joe.

A señorita Spite consultou o seu anticuado reloxo.

–Catorce minutos e cincuenta e un segundos, para ser exactos.

Joe tragou saliva. Daría chegado a tempo o seu pai?

9

Compartimos?

–Compartimos? –propuxo Bob, ofrecéndolle ó seu amigo unha das dúas barriñas de que se compoñía o Twix.

–Grazas, compa –dixo Joe. Estaban nun recanto tranquilo do patio, agoniados pola que lle ía caer a Joe dun momento a outro.

–Que pensas facer?

–Eu que sei… Mandeille unha mensaxe ó meu pai, pero é imposible que se poña aquí nun cuarto de hora. Que outra opción hai?

A Joe pasáronlle polo maxín varias posibilidades.

Podía inventar unha máquina do tempo e viaxar ó pasado para acordarse de meter a redacción na mochila. Como solución tiña traza de ser algo complicada, a verdade, sobre todo tendo en conta que, se as máquinas do tempo existisen de veras, seguramente a estas alturas alguén xa viría do futuro para impedir que nacese o inventor do abrefácil.

Tamén podía volver á aula e dicirlle á señorita Spite que fixera a redacción pero que lla comera o tigre. Mentiría soamente a medias, porque era certo que na casa tiñan un zoo cun tigre. Chamado Geoff. E mais unha caimana chamada Jenny.

Meterse a monxa. Tería que vivir nun convento e pasar a vida rezando, cantando e facendo cousas relixiosas en xeral. A vantaxe era dupla: por unha banda, no convento estaría a salvo da señorita Spite; pola outra, o negro quedáballe moi ben. Pero tamén era certo que igual a vida conventual lle resultaba aburrida co tempo.

Trasladarse a outro planeta. O máis próximo era Venus, aínda que quizais fose menos perigoso ir a Neptuno.

Habitar baixo terra para o resto da súa existencia. Quizais fundar unha tribo de subterrícolas e constituír unha sociedade secreta de individuos culpables de ter pendente algún deber para a señorita Spite.

Facer a cirurxía estética e cambiar de identidade. O resto da súa vida sería unha velliña chamada Winnie.

Facerse invisible. Só que Joe non tiña moi claro como logralo.

Ir correndo á librería da vila, mercar o *Control mental en dez minutos* do profesor Stephen Haste e, moi rapidamente, hipnotizar a señorita Spite para convencela de que xa lle entregara a redacción.

Disfrazarse de espaguetes con salsa boloñesa.

Subornar a enfermeira escolar para que lle comunicase á señorita Spite que morrera.

Agocharse entre uns arbustos ata que lle chegase a morte. Entrementres manteríase a base de vermes e larvas.

Pintarse de azul e alegar que era un pitufo.

Non ben acabara Joe de estudar todas aquelas posibilidades na compaña de Bob cando os ensombreceron dúas figuras arquicoñecidas.

–Bob –dixo unha delas, nunha voz que non era nin o bastante grave nin o bastante aguda para distinguir o sexo de quen falaba.

Joe e Bob miraron para atrás. Bob, farto de resistirse, limitouse a entregarlle a barriña de Twix que acababa de encetar.

–Tranquilo –bisboulle a Joe–. Escondín no calcetín unha boa presa de Smarties.

–Non queremos o Twix –dixo o Grubb número un.

–Non? –preguntou Bob. Razoaba a toda velocidade. Saberían os Grubb que ocultaba no calcetín pastilliñas de chocolate revestidas de azucre de cores?

–Non, só queremos pedirche perdón por meternos contigo –dixo o Grubb número dous.

–E como mostra de boa vontade, invitámoste a merendar na nosa casa –engadiu o Grubb número un.

–A merendar? –repetiu Bob: non daba creto.

–Si. E igual podemos botar unhas partidiñas de Tragabólas –abundou o Grubb número dous.

Bob mirou para o seu amigo, pero Joe encolleu os ombreiros.

–Grazas, rapaces. Ou rapaz e rapaza, vaia, evidentemente…

–Evidentemente –contestou un Grubb non identificado.

–O malo é que hoxe ando moi ocupado… –dixo Bob.

–Noutra ocasión será –dixo o Grubb, e os xemelgos marcharon ranqueando.

–Que cousa máis rara –dixo Bob, rescatando uns Smarties, que xa colleran un pouco resaibo a calcetín–. Non penso ir á casa deses dous para xogar ó Tragabólas. Nin tolo!

–Si, si, que raro… –dixo Joe, e apartou a mirada con rapidez.

De pronto sentiuse un ruxido atronador. Joe mirou para arriba. Un helicóptero sobrevoaba o patio. Nun chiscar de ollos interrompéronse todos os partidos de fútbol e os nenos sacáronse axiña do medio, porque o helicóptero se dispoñía a aterrar. A forza dos rotores levantou polos aires centos de merendas. Bolsas de ganchos de queixo Quavers, un Aero de chocolate con menta e ata un iogur Müller coa súa esquiniña de marmelada danzaron no aire arremuiñado. Por fin se estamparon contra o chan cando o motor se apagou e as pas desaceleraron a rotación e acabaron por frear.

O señor Spud chimpou do asento do copiloto e botou a correr polo patio adiante coa redacción na man.

«Oh, non», pensou Joe.

O señor Spud levaba un perruquín castaño que premía contra a cabeza con ambas as mans e vestía un mono dourado coas palabras SUAVICÚPTERO bordadas nas costas en fío de purpurina. Joe quería que o tragase a terra. Tentou ocultarse detrás dun dos rapaces maiores, pero era tan gordo que o pai o avistou moi pronto.

–Joe! Joe! Por fin te encontro! –berrou o señor Spud.

Os alumnos miraron pasmados para Joe Spud. Ata entón non lle fixeran moito caso ó rapaz novo. E de súpeto resultaba que o pai daquel tapón que avultaba máis de ancho ca de alto tiña un helicóptero. Un helicóptero de verdade! Alucinante!

–Toma a redacción, fillo. Espero que che sirva. E decateime de que me esqueceu darche os cartos do comedor. Aquí che van cincocentas libras.

O señor Spud sacou da carteira de pel de cebra un feixe de billetes de cincuenta libras moi noviños e lisiños. Joe non llos quixo coller. Os compañeiros miraban cheos de envexa.

–Recóllote ás catro, fillo? –preguntou o señor Spud.

–Non fai falta, papá, grazas. Volvo no bus –farfallou Joe, mirando para os pés.

–Xefe, léveme a min no helicóptero! –berrou un dos rapaces dos cursos superiores.

–E a min! –sumouse outro.

–E a min!

–A min!

–A MIN!!

–NON, NON, A MIN!!!

En cuestión de segundos, os alumnos do patio eran todos a gritar e bracear para que aquel señor de mono dourado se fixase neles.

O señor Spud botouse a rir.

–Se tal, invita algúns amigos á casa esta fin de semana e dámoslles unha volta no helicóptero a todos! –propuxo cun sorriso.

Un aturuxo de alegría percorreu o patio.

–Pero, papá… –queixouse Joe.

A idea de levar xente á casa parecíalle un pesadelo. Que todo o mundo vise o monstruosamente luxosa que era a súa mansión e a cantidade desmedida de posesións inconcibibles que albergaba... Mirou a hora no seu reloxo dixital de plástico. Quedábanlle menos de trinta segundos.

–Papá, teño que marchar –soltou de golpe Joe. Ripoulle a redacción das mans ó pai e entrou a correr no edificio principal do colexio á máxima velocidade que lle daban as mazarocas que tiña por pernas.

Ó subir coma unha exhalación cruzouse co carcamán do director, que baixaba montado nunha cadeira salvaescaleiras. O señor Dust parecía ter cen anos como mínimo, pero seguramente pasaba deles. Cadráballe máis estar exposto no Museo de Historia Natural ca dirixindo un colexio, pero ser era inofensivo.

–Sen correr! Andando coma as persoas! –moumeou. Os mestres seguen tendo querenza polas frasiñas típicas mesmo na vellez.

Mentres voaba polo corredor en dirección á aula en que agardaba a señorita Spite, Joe decatouse de que medio colexio lle ía ó rabo. Incluso oíu que alguén lle berraba:

–Ei, ti, o do Suavicú!

Aquilo descolocouno un pouco, pero seguiu a correr ata irromper na aula. A Bruxa tiña o reloxo na man.

–Velaquí está, señorita Spite! –anunciou Joe.

–Chegas cinco segundos tarde –anunciou ela.

–Non o dirá en serio!

A Joe non lle entraba na cabeza que se puidese ser tan ruín. Mirou para atrás e viu centos de alumnos a fitalo polo cristal. Tiñan tanta ansia por albiscar –aínda que fose de lonxe– o neno máis rico do colexio (ou talvez do mundo) que esmagaban o nariz contra o vidro, converténdose talmente nunha tribo de nenos-porcos.

–Un día castigado a limpar o patio! –exclamou a señorita Spite.

–Pero señori…

–Unha semana!

–Señori…

–Un mes!

Joe preferiu non seguir retrucando e saíu da aula, abatido. Pechou a porta. No corredor, centos de olliños mirábano en fite.

–Ei! Don Ricacho! –chegou unha voz grave dende o fondo. Era un dos maiores, pero Joe non distinguía cal. Os de bacharelato eran todos iguais, co mesmo bigote e o mesmo Ford Fiesta. Todas as boquiñas botáronse a rir.

–Empréstanos un millonciño, ho! –berrou alguén. As gargalladas eran enxordecedoras. O ruído pesaba coma chumbo no ambiente.

«Estou acabado», pensou Joe.

10

Baba de can

Joe corricaba polo patio en dirección ó comedor, engulido pola caterva de compañeiros. Levaba a cabeza gacha. Odiaba con todas as súas forzas aquel repentino estrelato. Ó seu arredor todo eran voces.

–Ei, Limpacús! Buscas mellor amigo?

–Aí atrás leváronme a bici. Veña, ho, mércame unha nova.

–Empréstanos cinco libras…

–Eu quero ser o teu gardacostas!

–Coñeces a Justin Timberlake?

–A miña avoa estache sen casa. Regálanos cen mil libriñas de nada, home!

–Cantos helicópteros tes?

–Pero ti para que vés ó colexio? Se xa es rico!

–Asínasme un autógrafo?

–E se montas un superfestón na túa casa este sábado?

–Dásme papel do váter gratis para toda a **vida?**

–Por que non mercas o colexio e mandas todos os profes ó paro?

–Cómprasme unha bolsa de boliñas Maltesers? Vale, dásme aínda que sexa unha soa boliña? **Non sexas cutre!**

Joe acelerou. E a multitude con el. Joe minorou. E a multitude con el. Joe deu media volta e desfixo o camiño. E a multitude con el.

Unha rapazola rubia tentou agarrarlle a carteira e Joe apartoulle a man cun puñazo.

–Au! Seguro que teño unha fractura! –laiou a nena–. Agora vas e indemnízasme con dez millóns!

–Bate en min, bate en min! –saltou outra voz.

–Non, en min! Zóscame, zóscame! –berrou outra.

Un rapaz alto de anteollos requintou a idea.

–Mira, méteme un couce na perna e asinamos un acordo extraxudicial por dous millóns. Por favor, por favor!

Joe meteuse no comedor. Era o único espazo do colexio que con toda seguridade estaría baleiro á hora de xantar. Joe empurrou moi forte as portas dobres contra aquel tsunami de compañeiros, pero foi en van. Entraron pola forza e abarrotaron o comedor.

–TODOS Á COLA COMO É DEBIDO! –gritou a señora Trafe.

Joe achegouse ó mostrador.

–Que che apetece hoxe, bonito? –dixo a cociñeira cun sorriso afectuoso–. De primeiro fixen unha sopiña de estrugas que pica que dá gusto.

–Hoxe non lle teño fame. Case que mellor vou dereito ó prato principal, señora Trafe.

–Pois é peituga.

–Uuuh, que ben soa.

–E tanto! Vén con salsa de baba de can. Para os vexetarianos puxen masilla de pegar pósters, moi ben empanada e fritida.

Joe tragou saliva.

–Mmm, que difícil decidirse. Xusto onte ceei baba de can.

–Que mágoa! Daquela póñoche a masilla empanada –dixo a cociñeira, ó tempo que lle botaba a Joe no prato unha nauseabunda baluga graxenta de cor azul–. O que non veña xantar, fóra! –berrou a señora Trafe para o tropel de nenos que quedaran xunta a porta, acovardados.

–O pai de Spud ten un helicóptero, señora Trafe! –berrou unha voz dende o fondo.

–Estalle podre de cartos! –berrou outra.

–Agora é outro! –berrou outra máis.

–Se me dás un cuarto de millón, deixo que me anestesies o brazo, Spud –sentiuse unha vociña dende atrás.

–FÓRA, DIXEN! –berregou a señora Trafe.

Os rapaces saíron de mala gana e conformáronse con fitar a Joe polas fiestras porcas.

Joe colleu o coitelo e retirou o empanado da baluga azul que tiña no prato. Comparante a aquilo, a pataca crúa do outro día parecíalle un manxar de deuses. A señora Trafe achegouse coxeando á súa mesa de alí a un momentiño.

–Por que están todos a espiarte desa maneira? –preguntou en ton amable, e deixou caer toda a súa corpulencia na cadeira contigua.

–Pois… É unha historia moi longa, señora Trafe.

–A min pódesma contar, amiguiño –respondeu ela–. Son cociñeira dun colexio. Estouche curada de espantos.

–Vale, pois o caso é que… –Joe terminou de mastigar o cacho de masilla de pegar pósters que tiña na boca e contoullo todo á vella cociñeira. Que o pai inventara o Suavicú, que vivían nunha mansión xigantesca, que xacando tiveran un mordomo orangután (detalle que a ela lle deu moitísima envexa) e que ninguén sabería nada daquilo se non fose polo burro do pai, que tivera a brillante idea de aterrar co raio do helicóptero no medio e medio do patio.

Todo o tempo que durou a conversa, a rapazada seguía a fitalo polas fiestras, coma se fose un animal do zoo.

–Que pena me dás, Joe –contestou a señora Trafe–. Halo estar pasando moi mal. Pobre rapaz! Vaia, pobre, o que se di pobre, como que non, pero ti xa me entendes.

–Grazas, señora Trafe. –Joe sorprendeuse de que unha persoa que o tiña todo lle puidese inspirar compaixón a ninguén–. Non é fácil. Xa non sei en quen confiar. Seica agora todos os compañeiros queren algo de min.

–Xa, non me estraña –dixo a señora Trafe, tirando do bolso un sándwich cuxo envoltorio levaba a marca dos grandes almacéns Marks & Spencer.

–E logo trae o xantar comprado de fóra? –preguntou Joe, sorprendido.

–Por supostísimo que si. Non pensarás que vou comer esta bazofia! É vomitiva! –respondeu a cociñeira. Alongou o brazo e pousoulle a man na del.

–En fin, grazas por escoitarme, señora Trafe –dixo Joe.

–Non se merecen, Joe. Xa sabes que aquí me tes sempre que che faga falta. –Sorriu. Joe devolveulle o sorriso–. E mira, unha cousiña –engadiu–. Facíanme falta dez mil libras para poñer unha prótese nun cadril…

11

De acampada

–Quedouche aí iso –indicou Bob.

Joe inclinouse, apañou outro lixo do patio e meteuno na bolsa que xenerosamente lle proporcionara a señorita Spite. Xa eran as cinco da tarde e o patio estaba baleiro de nenos. Só quedaba o refugallo.

–Ti non dixeras que me ías axudar? –acusouno Joe.

–E logo non estou axudando? Mira, aí hai máis. –Bob sinalou para outro envoltorio de chocolate que quedara estrado no asfalto. A todo isto, ía papando unha bolsa de patacas fritidas. Joe dobrouse para recollelo. Era o papel dun Twix. Probablemente o que el mesmo botara ó chan unhas horas antes.

–Pois nada, Joe, seica xa sabe todo o mundo que es ultramillonario –dixo Bob–. Síntoo por ti.

–Pois si.

–O máis seguro é que agora todos queiran facerse amigos teus... –dixo Bob en voz baixa. Cando Joe mirou para el, Bob virou a cara.

–Pode ser –sorriu Joe–. Pero nós xa eramos amigos antes, e iso pesa máis.

Bob puxo unha careta.

–Xenial –dixo. E sinalou para entre os pés–. Quedouche aquí outra porcallada, Joe.

–Grazas, Bob –suspirou Joe, dobrando o lombo para apañar a bolsa baleira de patacas fritidas que o seu amigo acababa de refugar nese mesmo instante.

–Boh! –dixo Bob.

–Que foi?

–Os Grubb!

–Onde?

–No cuberto das bicis. Que quererán?

Axexando dende detrás do alboio estaban os xemelgos. Cando albiscaron a Joe e Bob, saudaron coa man.

–Non sei que é peor –continuou Bob–. Que se metan contigo ou que te inviten a merendar.

–OLA, BOB! –voceou un Grubb cando botaron os dous a carrandear en dirección a eles.

–Ola, Grubb e Grubb –respondeu Bob, abatido.

Inevitablemente, os dous matóns chegaron onda os dous amigos.

–Estivemos a darlle voltas –falou o outro–. Esta fin de semana imos de acampada. Queres vir?

Bob mirou a Joe, implorando socorro. Ir de acampada con aquel dúo era unha invitación bastante pouco tentadora.

–Vaia, que mala sorte, oes –dixo Bob–. Xusto esta fin de semana teño unha historia.

–E a próxima? –propuxo o Grubb número un.

–Tamén, por desgraza.

–E a outra? –propuxo o outro Grubb.

–Totalmente…. –tatexou Bob– … ocupada cun cento de historias que teño que facer. Canto o sinto. Co ben que o poderiamos pasar. Pois ala, nada, ata mañá. Eu por min quedaba a charlar encantado da vida, pero teño que lle botar unha man a Joe coa limpeza do patio. Chao!

–E algunha fin de semana do ano que vén? –preguntou o primeiro Grubb.

Bob quedou parado.

–Hum… Eh… Hum… É que o ano que vén vai ser un non parar. Eu ir ía de boísima gana, pero…

–E dentro de dous anos? –preguntou o Grubb número dous–. Quédache algunha finde libre? Temos unha tenda de campaña chulísima.

Bob xa non o soportou máis.

–Imos ver se nos aclaramos. Pasades de facerme a vida imposible a invitarme a botar a fin de semana convosco nunha tenda de campaña. Que raios ocorre aquí?

Os Grubb miraron para Joe á procura de axuda.

–Joe –dixo un.

–Pensamos que ser simpáticos co Bobolo sería coser e cantar –dixo o outro–, pero é que nos di que non a todo! Como queres que fagamos logo, Joe?

Joe tusiu sen moita sutileza. Pero os Grubb non deron mostra de pillar a indirecta.

–Ou sexa, que os tes subornados para que non se metan comigo, verdade? –esixiu saber Bob.

–Non… –respondeu Joe, sen moita convicción.

Bob encarou os Grubb.

–Si ou non? –interrogounos.

–Si, pero non –responderon os Grubb–. Ou sexa, non pero si.

–Canto vos pagou?

Os Grubb miraron para Joe, sen saber o que facer. Pero era tarde de máis. Cacháranos.

–Dez libras por cabeza –respondeu un Grubb–. E por certo, Spud, vimos o helicóptero e non somos idiotas. Queremos máis.

–Iso! –confirmou o outro–. E agora vas ser ti o que acabes no colector do lixo como non nos deas once libras a cada un. Mañá á primeira hora.

Os Grubb marcharon troupeleando.

A Bob encheronselle os ollos de bágoas coa rabia.

–Ti pensas que o diñeiro o resolve todo nesta vida, va que si?

Joe non entendía nada. Pagáralles ós Grubb polo ben de Bob. Non lle entraba na cabeza que o seu amigo estivese tan enfadado.

–Bob, eu fíxeno por axudarte, non pretendía…

–A min non me fan falta caridades, sabes?

–Ben o sei, é só que…

–É so que que?

–Que non quería que te volvesen meter no colector.

–Xa –dixo Bob–. E discorriches que sería mellor que os Grubb se puxesen a facer cousas raras, todos amables eles, e a invitarme a acampadas.

–O da acampada é da súa colleita, que conste, pero si.

Bob deulle á cabeza.

–É incrible. Es un… es un completo… es un mocoso consentido!

–Que!? –exclamou Joe–. Se foi por axudarte a ti! Acaso che gustaba máis cando tiraban contigo ó lixo e che roubaban o chocolate?

–Si! –berrou Bob–. Si, mil veces! Ben me sei valer por min mesmo, ti non te molestes!

–Pois ti verás –dixo Joe–. Que o pases ben no fondo do colector.

–Iso penso facer! –retrucou Bob, e marchou alporizado.

–Pailán! –gritoulle Joe, pero Bob non se xirou.

Joe quedou só no medio dun mar de lixo. Picou un envoltorio de Mars co pau de apañar. O de Bob resultáballe inconcibible. Crera que fixera un amigo, pero o único que atopara era un egoísta, un queixón, un desagradecido, un… rechouchasco!

12

A boneca da páxina 3

–... e a Bruxa obrigoume a limpar o patio así e todo! –queixouse Joe. Estaba no comedor, agardando co pai a que lles servisen a cea. Na brunidísima mesa collían un milleiro de comensais, pero ese día só estaban o seu pai e mais el. Do teito pendían descomunais arañas de luces; nas paredes expoñíanse pinturas non demasiado bonitas, pero que valían millóns.

–Pero se eu che fun levar a redacción no helicóptero! –indignouse o señor Spud.

–Xa ves que inxustiza! –respondeu Joe.

–Eu non inventei un papel hixiénico húmido por un lado e seco polo outro para que o meu fillo ande apañando o lixo que refugan os demais!

–Va que non? –concordou Joe–. Esa señorita Spite é máis mala cá raña!

–Mañá mesmo aterro o helicóptero no colexio e dígolle catro palabras ben ditas a esa mestrucha de pacotilla!

–Non, por favor, papá! Xa pasei vergonza abonda cando viñeches hoxe!

–Pois perdoe vostede –dixo o señor Spud. Parecía un chisco doído e Joe sentiuse un pouco mal–. Eu só quería axudar.

Joe suspirou.

–Non pasa nada, papá, pero non o volvas facer. É un horror que todo o mundo saiba que son o fillo do que inventou o Suavicú.

–Aí si que non teño nada que facerlle, neno! Se somos ricos, por iso é. Grazas ó Suavicú vivimos neste cacho palacio.

–Xa… Tes razón –respondeu Joe–. Pero ti non te presentes no cole co Suavicúptero nin nada diso, de acordo?

–De acordo –aceptou o señor Spud–. E que tal che vai con ese amigo que fixeches?

–Bob? Xa non somos amigos –contestou Joe. E baixou a cabeza unha miguiña.

–E logo? –interesouse o señor Spud–. Non me dixeras que vos levabades de marabilla?

–É que subornei uns matóns para botarlle unha man –dixo Joe–. Facíanlle a vida imposible, conque lles dei cartos para que o deixasen en paz.

–E que problema hai?

–Que o descubriu. E entón, non o perdas, púxose feito unha fera! Chamoume mocoso consentido!

–E iso?

–Eu que che sei! Dixo que prefería que se metesen con el a que eu o axudase.

O señor Spud deulle á cabeza con incredulidade.

–Pois ese Bob paréceme un pouco parvo. Pero, claro, cando tes diñeiro como temos nós, acércaseche moito interesado. En fin, déixao ir. Polo visto o tal Bob non entende a importancia dos cartos. Se prefire pasalo mal, pois peor para el.

–Iso –dixo Joe.

–Xa farás máis amigos no colexio, fillo –dixo o señor Spud–. Es rico, e iso encántalle a todo o mundo. Se teñen dous dedos de fronte, vaia. Non coma o Bob ese.

–Non sei eu –respondeu Joe–. Agora que todos saben quen son…

–Verás como si, Joe. Faime caso –insistiulle o señor Spud cun sorriso.

O mordomo de impecable uniforme entrou no comedor polas maxestosas portas de carballo e carraspeou finxidamente para chamar a atención do seu patrón.

–Cabaleiros, a señorita Sapphire Stone.

O señor Spud apresurouse a poñer o perruquín rubio xusto cando Sapphire, unha beleza que aparecera lixeira de roupa na famosa páxina 3 do *Sun,* entrou no comedor con moito taconeo dos seus altísimos zapatos.

–Chego tarde, perdón! É que fun retocar o bronceado –explicou.

E ben se lle notaba. Aplicara bronceador artificial ata no último centímetro da pel. Estaba alaranxada de arriba abaixo. Alaranxada nivel laranxa de froitería, se non máis. Imaxinade a persoa máis laranxa que vísedes na vosa vida: pois iso multiplicádeo por dez. Por se acaso non dese suficiente medo con aquel ton de pel, aínda por riba lucía un minivestido verde lima e un bolsiño de man rosa flúor.

–E esta que fai aquí? –preguntou Joe, molesto.

–Sé simpático! –díxolle o pai polo baixo.

–Vaia chabolo! –dixo Sapphire, estudando con admiración as pinturas e as arañeiras.

–Grazas. Teño outras dezaseis casas. Mordomo, comuníquelle ó cociñeiro que queremos cear decontado. Que nos serve hoxe?

–Foie-gras, señor –respondeu o mordomo.

–E iso que é? –preguntou o señor Spud.

–Fígado dun ganso cebado a tal efecto, señor.

Sapphire puxo cara de noxo.

–Eu prefiro unhas patacas de bolsa.

–Eu tamén! –saltou Joe.

–Xa somos tres! –uniuse o señor Spud.

–Enseguida, señor. Marchando tres bolsas de patacas fritidas –chanceouse o mordomo.

–Que preciosa estás hoxe, meu anxo! –dixo o señor Spud, achegándose a Sapphire para darlle un bico.

–Non me esborranches o labial! –exclamou ela, bloqueándolle o avance coa man.

O señor Spud quedou evidentemente chafado, aínda que intentou disimular.

–Senta, senta. Xa vexo que traes o bolso de Dior que che mandei.

–Si, pero ese bolso faise en oito cores –queixouse ela–. Un para cada día da semana. Xa che valeu non mercarme os oito.

–Xa chos mercarei, princesiña… –farfallou o señor Spud.

Joe miraba para o pai coa boca aberta. Non se explicaba que se deixase enredar por aquela prea.

–A cea está servida –anunciou o mordomo.

–Ven, meu fermoso anxo de amor, senta aquí –dixo o señor Spud cando o mordomo lle apartou a cadeira.

Entraron tres camareiros con cadansúa bandexa de prata. Pousáronas todas as tres na mesa. O mordomo fixo unha venia e os camareiros levantaron as cúpulas de prata e quedaron á vista tres bolsas de patacas fritidas sabor vinagreta ó punto de sal. O trío atacounas. Nun principio o señor Spud fixo ademán de comer as patacas fritidas con coitelo e garfo para darse de elegante, pero pronto abandonou.

–Atende, só quedan once meses para o meu aniversario –dixo Sapphire–. Así que fixen unha listiña cos agasallos que me vas comprar.

Con aquelas uñas postizas tan longas non daba sacado o papeliño de dentro do bolso rosa. Era como mirar unha desas maquiniñas de ganchos que hai nas festas, nas que é imposible levar premio. Por fin pillou o papel e entregoullo ó señor Spud. Joe mirou por riba do ombreiro do pai e leu o que apuntara.

Regalos de aniversario para Sapphire

- Un cabriolé Rolls Royce de ouro macizo
- Un millón de libras en efectivo
- 500 anteollos de sol de Versace
- Unha casa de veraneo en Marbella (grande)
- Un balde de diamantes
- Un unicornio
- Unha caixa de bombóns Ferrero Rocher (grande)
- Un iate deses superenormísimos de non sei cantos metros
- Un acuario xigantesco de peixes trompicais*
- A peli *Os chihuahuas de Beverly Hills* en DVD
- 5000 frascos de perfume de Chanel

**Eu imaxino que querería dicir «tropicais».*

- Outro millón de libras en efectivo
- Algo de ouro
- Unha subscrición á revista *OK* para toda a vida
- Un avión privado (novo, de segunda man non vale)
- Un can que fale
- Cousas careiras en xeral
- 100 vestidos de marca (Vale calquera sempre que sexa caro. Os que non me chisten xa os revenderá por aí a miña nai.)
- Un cartón de leite semidesnatado
- Bélxica

–Pois claro que cho vou comprar todo, meu anxiño do ceo –babeoulle o señor Spud.

–Grazas, Ken –dixo Sapphire coa boca chea de patacas fritidas.

–Len, con ele –corrixiu o señor Spud.

–Ai, perdón! Que risa! Len! Que parva son! –dixo ela.

–Estarás de broma! –interveu Joe–. Non lle irás mercar de verdade todas esas cousas!

O señor Spud mirou para el con enfado.

–E por que non, fillo? –dixo, intentando controlarse.

–Iso! Por que non, cacho redrollo? –meteuse Sapphire, no seu caso sen intentar controlarse.

Joe vacilou.

–Aluma ós cegos que só estás co meu pai polos cartos.

–Non lle fales así á túa nai! –berrou o señor Spud.

A Joe saíronlle os ollos das concas.

–Esta non é a miña nai! É a paifoca da túa moza e só me leva sete anos!

–Como te atreves! –indignouse o señor Spud–. Pídelle perdón.

Joe apertou os beizos, desafiante.

–Que lle pidas perdón, dixen! –berrou o señor Spud.

–Non! –berrou tamén Joe.

–Castigado nos teus apousentos!

Joe botou para atrás a cadeira, montando todo o escándalo que puido, e subiu troupeleando polas escaleiras mentres os serventes facían coma que alí non pasaba nada.

Sentou no bordo da cama e apreixouse cos brazos. Había tanto tempo que ninguén lle daba unha aperta que se apertou a si mesmo. Abrazou a súa propia gordura chorosa. Empezaba a desexar que o seu pai non inventase nunca o Suavicú e que seguisen vivindo no piso de protección oficial con mamá. De alí a un minuto petaron na porta. Joe non abriu a boca, desafiante outra vez.

–Son teu pai.

–Marcha! –chiou Joe.

O señor Spud abriu a porta e sentou na cama a carón do fillo. A pouco menos non esvarou e caeu para o chan.

Os cobertores de seda son preciosos de ver, pero moi pouco prácticos.

O señor Spud brincuou un chisco para aconchegarse ó fillo.

–Non me gusta ver así o meu Spudiño. Xa sei que non che cae ben Sapphire, pero a min faime feliz. Iso enténdelo?

–Pois non –dixo Joe.

–E tamén sei que tiveches un día daquela maneira no colexio. Primeiro o da mestra esa, a Bruxa, e logo o dese rapaz desagradecido, Bob. E pésame moito. Sei que tiñas moita gana de facer un amigo e son consciente de que aínda cho puxen máis difícil. Hei falar discretamente co director. A ver se logro que se che vaian arranxando as cousas.

–Grazas, papá –fungou Joe–. Perdoa por botarme a chorar. –Dubidou un segundo–. Quérote moito, papá.

–Ídem, fillo, ídem –respondeu o señor Spud.

13

A nena nova

Chegaron entón uns diíñas de vacacións escolares e, cando Joe volveu ás clases o luns pola mañá, descubriu que xa non era o centro de atención. Acababa de chegar ó colexio unha nena nova, e era taaaaaaaan guapa que todo o mundo andaba revolucionado. Joe entrou pola cancela e alí a encontrou, un regalo tan enorme coma inesperado.

–Que temos hoxe á primeira hora? –preguntou a nena cando ían andando polo patio.

–Perdón? –tatexou Joe.

–Que que temos hoxe á primeira hora –repetiu a nena nova.

–Xa oín, é só que… Falas comigo? En serio? –A Joe parecíalle imposible.

–Si, falo contigo –dixo ela, rindo–. Chámome Lauren.

–Xa sei. –Joe non acababa de decidir se recordar o nome da alumna nova era propio dun galán ou dun acosador.

–E ti como te chamas? –preguntou ela.

Joe sorriu. Polo menos había unha persoa no colexio que non sabía de memoria toda a súa vida.

–Joe –díxolle a Lauren.

–Joe que máis? –preguntou Lauren.

Joe non quería que soubese que era o multimillonario do Suavicú.

–Eh… Joe Pataca.

–Joe Pataca? –repetiu ela, bastante sorprendida.

–Si… –rosmou Joe. Quedara tan pampo pola beleza da rapaza que non lle dera o cerebro para inventar algo máis aquelado.

–Que apelido máis raro, «Pataca» –comentou Lauren.

–Si, verdade? Pero realmente escríbese con *k*, sabes? Joe Pataka. Non coma a pataca de comer. Iso si que sería ridículo! Ha, ha!

Lauren intentou sumarse á risa, pero xa estaba a mirar para Joe con cara rara. «Boh», pensou Joe. «Non hai nin medio minuto que nos coñecemos e xa pensa que estou mal da cachola.» Tratou de cambiar de tema rapidamente.

–Agora temos Matemáticas co señor Crunch –dixo.

–Vale.

–E logo toca Historia coa señorita Spite.

–Puf, odio a historia, é un aburrimento.

–Pois máis a vas odiar cando coñezas a señorita Spite. Como profesora será boa, non che digo que non, pero non a soporta ninguén. Chamámoslle «a Bruxa»!

–Que graza! –dixo Lauren cun risiño.

Joe quedou todo cheo.

Apareceu Bob cos seus andares de parrulo.

–Eh… Ola, Joe.

–Ah, ola, Bob –respondeu Joe.

Os dous ex-amigos levaban sen verse dende antes das vacacións. Joe pasáraas só, dando voltas e voltas polo seu circuíto de carreiras ó volante do novo Fórmula 1 que lle acababa de mercar o pai. E Bob pasara a maior parte dos días libres dentro dun colector do lixo. Andase por onde andase, os Grubb atopábano sen remisión, izábano polos nocellos e metíano de capitón no primeiro colector que visen. Certo é que Bob dixera que prefería aquilo ó outro.

Joe estrañara a Bob, pero deulle rabia que escollese o peor momento para irlle falar. Xusto cando estaba coa rapaza máis guapa do colexio, talvez incluso de toda a bisbarra!

–Xa sei que ultimamente non nos vimos, pero... Vaia... Estiven a pensar no que nos diximos cando te castigaron a limpar a patio e... –dixo Bob, algo inseguro.

–E que?

Bob quedou algo azorado co ton impaciente de Joe, pero proseguiu.

–En fin, que me dá moita rabia que nos enfadásemos e que me gustaría que fixésemos as paces. Se queres, podes volver botar o pupitre para atrás e...

–Mira, impórtache se falamos logo? –dixo Joe–. Agora mesmo píllasme superocupado.

–Pero... –empezou a dicir Bob. No rostro pintáraselle unha expresión ferida.

Joe non se inmutou.

–Ala, chao –dixo.

Bob marchou.

–Ese quen era? Un amigo teu? –indagou Lauren.

–Non, non, non, que vai ser amigo meu! –respondeu Joe–. Chámase Bob, pero todo o mundo o alcuma Bobolo. Como é tan gordo…

Lauren volveu rir. Joe sentiu unha minúscula picadela na conciencia, pero facíalle tanta ilusión parecerlle gracioso á guapísima rapaza nova que abafou aquela sensación ata suprimila.

Lauren pasou a clase de Matemáticas a mirar para Joe. Desconcentrouno unha barbaridade. En Historia tampouco lle quitou o ollo de encima. Mentres a señorita Spite lles soltaba un soporífero monólogo sobre o Sacro Imperio Romano Xermánico, Joe empezou a imaxinar que beixaba a Lauren. Era tan preciosa que Joe non desexaba outra cousa no mundo. Mais sendo como era que Joe só tiña doce anos e xamais se dera bicos con ninguén, o certo é que non se figuraba nin de lonxe como conseguilo.

–E que rei foi o pai de Carlomagno? Spud?

–Si, señorita? –Joe mirou coma aparvado para a señorita Spite. Descubriu con horror que levaba mil anos desconectado da explicación.

–Fíxenche unha pregunta, neno. Estabas nos biosbardos, va que si? Ti pretendes aprobar o exame ou non?

–Si, señorita, estaba atendendo… –tatexou Joe.

–Daquela contesta a pregunta –ordenoulle a señorita Spite–. De que rei é fillo Carlomagno?

A Joe non lle acordaba nin por casualidade. Estaba seguro de que non era nin Joe II, nin Bob IV, nin Len o Grande, porque eses nomes non soaban nada rexios.

–Non teño todo o día –anunciou a señorita Spite.

Xusto entón soou o timbre. «Salvado!», pensou Joe.

–A clase acaba cando o digo eu, non o timbre! –voceou a señorita Spite. Como era de esperar. Porque non sacaba aquela frase da boca. Con toda probabilidade, algún día sería o seu epitafio. Lauren estaba sentada detrás de onde se colocara a señorita Spite e, de repente, púxose a acenar para chamar a atención de Joe. Ó principio el non entendeu o que lle quería, mais logo decatouse de que Lauren intentaba indicarlle a resposta con xestos. Primeiro púxose a dar chimpiños con cara de apuro e as mans na entreperna, e logo simulou que sentaba no váter e poñía cara de alivio.

–O rei… Váter? –aventurou Joe.

A clase en pleno estralou en gargalladas. Lauren fixo que non coa cabeza. Joe volveu probar.

–O rei Retrete?

Outra vez gargalladas.

–O rei Mexo?

Desa volta as gargalladas foron aínda máis estrondosas.

–O rei Pipí? Ah! Si! O rei Pipino!

–O rei Pipino que máis? –continuou o interrogatorio a señorita Spite. Detrás dela, Lauren volvía facerlle acenos, desa vez coas mans. Indicaba algo moi pequeno co polgar e o índice.

–Pipino o Pequeno? Non… O Curto? Non… O Breve! Si! Pipino o Breve! –gritou Joe.

Lauren imitou un aplauso.

–Correcto, Spud –dixo a señorita Spite en ton suspicaz, tras o cal deu media volta, foi ó encerado e escribiuno–. O rei Pipino o Breve.

Ó saír ó sol primaveral, Joe faloulle a Lauren.

–Puf, salváchesme a vida, moitísimas grazas.

–Non pasa nada. Cáesme xenial. –E sorriu.

–En serio? –preguntou Joe.

–Claro!

–Pois daquela… Se cadra… –A Joe atragoóuselle a frase–. Se cadra…

–Que?

–Se cadra… Non sei, seguro que dis que non, iso segurísimo, vaia, a quen se lle ocorre que digas que si, co guapa que es ti e o vulto amorfo que son eu, pero… –Xa nin sabía o que dicía; as palabras saíanlle soas. E subíanlle as cores por momentos coa vergonza que estaba a pasar–. En fin, se quixeses…

Lauren tomou a remuda da conversa.

–Dar un paseo polo parque despois das clases e talvez comer un polo de xeo? Pois si, encantaríame.

–En serio?! –Joe non o podía crer.

–Si, en serio.

–Comigo?

–Si, contigo, Joe Pataka.

Joe sentiuse un cento de veces máis feliz ca xamais en toda a súa vida. Nin sequera lle importou que Lauren seguise convencida de que se apelidaba Pataka.

14

En forma de beixo

–Ei!

Ata entón fora todo de marabilla. Joe e Lauren estaban sentados nun banco do parque, lambendo os polos que mercaran na de Raj. O quiosqueiro percibira perfectamente que Joe quería impresionar aquela rapaza e, xa que logo, abafárao a atencións. Mesmo lles descontara un penique no prezo dos polos e animara a Lauren a botarlle unha ollada gratis á revista *Now*.

Ó final lograran escapulirse do quiosco e recalaran nun recanto tranquilo do parque, onde falaran e falaran ata que o pegañento líquido vermello dos polos lles pingara polos dedos abaixo. Falaron de todo agás da familia de Joe. Non quería mentirlle a Lauren. Gustáballe demasiado. Iso explica que, cando ela lle preguntou en que traballaban os seus pais, Joe dixese simplemente que o pai se dedicaba ó «tratamento de residuos»; non é de estrañar que Lauren non fixese máis preguntas ó respecto. Joe estaba desesperado por que Lauren non soubese que tiña millóns para parar un tren. Tras ver cos seus propios ollos como Sapphire se aproveitaba do pai sen vergonza ningunha, sabía ben que ás veces o diñeiro se ten por castigo.

Ía todo de perlas… ata que aquel «Ei!» o desbaratou.

Os xemelgos Grubb levaban un anaco facendo o animal nos bambáns, piando por que alguén lles fose chamar a atención. Por desgraza para eles, tanto a policía coma o vixilante do parque e mais o párroco andaban a outros asuntos. Por este motivo, cando un dos xemelgos dexergou a Joe, alá foron a dúo cara a el cos seus sorrisos malévolos, sen dúbida confiando en mitigar o seu aburrimento a poder de atormentar a xente uns minutiños.

–Ei! Ciricha a pasta ou vas ó colector!

–Con quen falan? –bisbou Lauren.

–Comigo –contestou Joe, ó seu pesar.

–A pasta! –exclamou un Grubb–. Arreando!

Joe botou a man ó peto. Ó mellor dándolles vinte libras por cabeza lograba sacalos de enriba. Ese día polo menos.

–Que fas, Joe? –preguntou Lauren.

–É que me pareceu que… –tatexou.

–E a ti que che importa, lurpia? –dixo o Grubb número un.

Joe mirou para a herba, pero Lauren pasoulle a Joe o que lle quedaba do polo e púxose de pé. Os Grubb rebuliron un chisco, algo incómodos. Non contaban con que unha rapaza de trece anos lles fixese fronte no senso literal.

–Ti senta! –berrou o Grubb (ou a Grubb) número dous, plantándolle a Lauren a man no ombreiro para obrigala a quedar no banco. Mais o que fixo Lauren foi agarrarlle a man, retorcerlle o brazo e tirar con el (ou con ela) ó chan. O outro

(ou a outra) Grubb quixo trucar, pero Lauren deu un brinco e meteulle unha patada de kung-fu que o fixo (ou a fixo) comer terra. Entón o outro (ou a outra) incorporouse e tentou apreixala, pero Lauren cascoulle un machadazo de karate no ombreiro e o Grubb (ou a Grubb) liscou entre laios e berros.

(Uf, que complicado é describir a escena cando non sabes se o prota é home ou muller.)

A Joe pareceulle que ían sendo horas de facer algo e púxose de pé. Coas pernas tremendo co medo, aproximouse ó Grubb (ou á Grubb) que seguía no chan. Xusto entón caeu na conta de que tiña en cada man un polo medio derretido. O xemelgo (ou a xemelga) aínda fixo ademán de revolverselle, pero entón Lauren chantouse detrás de Joe e o Grubb (ou a Grubb) marchou a fume de carozo, ganindo coma un can.

–Onde aprendiches a pelexar así? –preguntou Joe, apampado.

–Ah, é que aí atrás fixen algún que outro curso de artes marciais –respondeu Lauren, pero non soou moi convincente.

Joe botou de contas que acababa de atopar a muller dos seus soños. Lauren podía ser a súa moza… e a súa gardacostas asemade!

Pasearon polo parque. Joe percorrérao moitas veces de punta a cabo, mais aquel día pareceulle máis fermoso ca nunca. Mentres os raios de sol danzaban entre as follas das árbores naquela tarde outonal, por un momento Joe sentiu que a súa existencia era perfecta.

–Mellor vou indo –dixo Lauren conforme se achegaban á cancela.

Joe tentou ocultar a súa desilusión. Se por el fose, pasaría a eternidade paseando con Lauren por aquel parque.

–Invítote a xantar mañá, vale? –dixo.

Lauren sorriu.

–Non tes que me invitar a nada. Xantar xanto contigo encantada, pero o meu págoo eu, de acordo?

–Claro, se insistes… –respondeu Joe.

Guau. Aquela rapaza era demasiado perfecta para ser real.

–Que tal o comedor do cole? –preguntou Lauren.

Joe non encontraba as palabras para expresalo.

–Hum, pois é… fantástico se estás a réxime.

–Que ben, co que me gusta a min comer san! –exclamou Lauren.

Joe non se refería exactamente a iso, pero o comedor era o mellor lugar do colexio para ter unha cita, porque existía a garantía de que estaría tranquilo.

–Ata mañá, logo –dixo Joe. Pechou os ollos e puxo os labios en forma de beixo. E agardou.

–Ata mañá, Joe! –contestou Lauren, e botou a andar polo camiño.

Joe abriu os ollos e sorriu. Era incrible! Estivera a punto de darlle un bico a unha rapaza!

15

Chapa e pintura

Aquel día a señora Trafe estaba moi rara. Tiña o mesmo aspecto de sempre, pero distinto. Cando Joe e Lauren se acercaron ó mostrador, Joe identificou as mudanzas.

Os pelellos soltos da cara víanse moi estiradiños.

O nariz empequenecera.

Os dentes volvéranse perfectos.

As engurras da fronte esfumáranse.

As bolsas dos ollos desapareceran.

As patas de galo eran historia.

A dianteira gañara moitísimo volume.

Pero coxear seguía coxeando.

–Señora Trafe, está vostede moi… cambiada –comentou Joe, mirando para ela en fite.

–Ah, si? –respondeu a vella cociñeira, finxindo non saber a que se refería–. Ben, que vos apetece hoxe? Morcego asado coa súa gornición? Suflé de xabón? Pizza de queixo e polistireno?

–Que difícil elección… –vacilou Lauren.

–Ti es nova, non si, nena? –preguntou a señora Trafe.

–Son. Aínda empecei onte neste colexio –contestou Lauren mentres estudaba os pratos, tratando de dilucidar cal era o menos horrendo.

–Onte? Que raro! Estou segura de que xa te vira en algures –dixo a cociñeira, escrutando a face perfecta de Lauren–. Sóasme moitísimo.

Joe meteu baza.

–Xa se operou do cadril, señora Trafe? –Cada vez albergaba máis sospeitas–. Para poñer a prótese que lle paguei hai quince días –dixo en ton baixo, pois non quería que o oíse Lauren.

A señora Trafe empezou a balbucir, moi nerviosa.

–Hum, isto… Non, aínda non, guapiño. Que tal se che poño unha ración extragrande da miña riquísima torta de calzóns?

–Gastou o que lle dei en cirurxía estética, va que si? –acusouna Joe cos dentes apertados.

Unha pinga de suor esvarou pola cara da señora Trafe abaixo e caeu na sopa de mocos de teixo.

–Perdóame, Joe, é que… Non sei, sempre tivera a ilusión de facer uns apaños e… –desculpouse a cociñeira.

Joe colleu tal cabreo que non quixo quedar alí un minuto máis.

–Lauren, marchamos –anunciou, e ela correu detrás del cando o viu saír do comedor feito unha furia. A señora Trafe foilles á zaga, coxeando.

–Se me emprestas outras cinco mil libriñas, Joe, desta volta prométoche que opero o cadril! –chiou, segundo o vía marchar.

Cando Lauren por fin alcanzou a Joe, encontrouno sentado só na outra punta do patio. Púxolle a man na cabeza con moito xeito para consolalo.

–E iso de emprestarlle cinco mil libras a que viña? –preguntou.

Joe mirou para Lauren. Non había maneira de seguirllo ocultando.

–O meu pai é Len Spud –confesou, todo compunxido–. O multimillonario do papel de váter Suavicú. Non me apelido Pataka. Inventeino para que non soubeses quen son. A verdade é que temos miles de millóns. Pero cando sae á luz… normalmente estrágase todo.

–Sabes o que? Que xa mo contaron uns rapaces hoxe á mañá –contestou Lauren.

A tristeza de Joe esvaeceuse por un instante. Díxose a si mesmo que Lauren fora comer un polo con el a véspera, cando aínda pensaba que era un rapaz normal e corrente. Cunha pouca sorte, nesa ocasión non se estragaría todo.

–E por que non dixeches nada? –preguntou Joe.

–Porque non ten importancia. A min iso tanto me dá. Gústasme e xa está –respondeu ela.

Joe estaba tan contento que a pouco menos non se botou a chorar. É curioso: ás veces sentes tantísima felicidade que se pasa de voltas e se converte en tristura.

–Ti tamén me gustas, e moito.

Joe achegouse máis a Lauren. Chegara o momento do beixo! Cerrou os ollos e franciu os labios.

–No medio e medio do patio non, Joe! –dixo Lauren, e afastouno entre risas.

A Joe deulle algo de vergonza ter tan pouco senso común.

–Perdón. –Cambiou de tema rapidamente–. Hai que oír cada unha! Eu facéndolle un favor á pobre vella, e ela vai e pon tetas de plástico!

–Xa, é incrible.

–E non é polos cartos, que os cartos me dan igual…

–Non, é porque abusou da túa xenerosidade –apuntou Lauren.

Joe levantou a cabeza e mirouna ós ollos.

–Exacto!

–Ala, vamos –dixo Lauren–. Seguro que cunhas pataquiñas fritidas te animas un pouco. Veña, invito eu.

Na tenda de frituras da vila había tantos alumnos do colexio que a cola saía pola porta. En teoría as normas prohibían saír do recinto escolar á hora de xantar, pero o menú do comedor era tan infame que non quedaba moito máis remedio. Os Grubb estaban de primeiros da cola, pero liscaron escopeteados á que viron a Lauren, e mesmo deixaron abandonadas no mostrador as salchichas rebozadas que encargaran.

Joe e Lauren apostáronse na beirarrúa e atacaron o cartucho de patacas fritidas. Joe nin recordaba a última vez que gozara dun pracer tan humilde. Debera ser de pequeno, moitos anos atrás. Antes de que o Suavicú empezase a reportar millóns e todo cambiara. Joe papou todas as súas patacas fritidas e decatouse de que Lauren apenas comera unha ou dúas das súas. El seguía famento, pero non tiña moi claro se a súa relación de parella chegara ó punto en que podía pillar comida dela. Iso dábase máis ben despois duns aniños de casados, e eles aínda non estaban nin comprometidos.

–Acabaches? –ousou preguntar.

–Acabei –contestou ela–. Non quero comer de máis, que a semana que vén teño choio.

–Choio? Choio de que? –preguntou Joe.

De súpeto, Lauren púxose moi nerviosa.

–Que dixen, que non me acordo?

–Seica dixeches que tiñas choio.

–Ah, vale, vale, vale, si, teño choio. –Calou un momento e respirou fondo–. Nunha… tenda.

Joe non estaba nada convencido.

–E por que tes que adelgazar para traballar nunha tenda?

Lauren non sabía onde meterse.

–Porque é unha tenda moi angosta –dixo. Mirou o reloxo–. Temos sesión dobre de Mates dentro de dez minutos. Mellor imos indo.

Joe engurrou o cello. Alí había algo que non cadraba…

16

Ken Foy

–A Bruxa morreu! –cantou un rapaz miúdo cheo de grans–. Dindón, a bruxa mala morreu! –Nin sequera pasaran lista aínda, pero a nova propagábase coma un regueiro de pólvora.

–Que foi? –preguntou Joe ó sentar no seu pupitre. No outro lado da aula viu que Bob miraba para el con expresión taciturna. «Estará celoso de Lauren», pensou.

–Non o sabes? –contestou outro rapaz miúdo aínda máis cheo de grans–. Botaron a Spite!

–E por que? –preguntou Joe.

–Que máis ten?! –exclamou un rapaz algo menos cheo de grans–. O importante é que nos zafamos dos seus ladrillos!

Joe sorriu, pero logo torceu o xesto. Non podía ver diante a señorita Spite e detestaba coma o que máis os seus parrafeos interminables, pero non vía moi claro que merecese o despedimento. Malia non haber quen a aturase, mala mestra non era.

–Déronlle porta á Spite! –soltoulle Joe a Lauren así que entrou na aula.

–Si, xa me dixeron –respondeu ela–. De marabilla, non?

–Home, non sei, supoño que si –dixo Joe.

–Pero ti non querías perdela de vista? Dixeches que non a soportabas!

–Si, pero… –Joe vacilou un instante–. É que me dá, en fin, como unha pouca pena.

Lauren puxo unha careta.

A todo iso, un grupiño de rapazas con aspecto de bichas sentaran nos pupitres no fondo. Empurraron a máis miúda contra Lauren e miraron para ela, facéndolle chacota.

–Que? Terás por aí uns fideíños instantáneos? –preguntou a miúda, para gran chufa das máis.

Lauren mirou fugazmente cara a Joe.

–Non sei de que me falas –protestou.

–Vaia trola! –dixo a rapaza–. Saías algo distinta, pero ben se nota que eras ti.

–Non teño nin a menor idea do que estás a dicir –respondeu Lauren, algo aqueloutrada.

Joe non tivo ocasión de intervir, porque xusto entón entrou na clase un mozo vestido de vello que se colocou algo vacilante diante do encerado.

–Ide acougando, por favor –dixo en voz baixiña. Ninguén salvo Joe lle fixo caso ningún–. Que vaiades acougando, veña.

A segunda frase do profesor novo foi un pouquiño máis audible cá primeira, pero ninguén lle fixo tampouco moito caso. De feito, aínda montaron máis barullo.

–Moito mellor –dixo o coitado, tentando convencerse de que algo era algo–. Moi ben, como quizais xa saibades, a señorita Spite non ha vir hoxe e...

–Si, puxérona na rúa! –berrou unha nena gorda a todo volume.

–Ben, iso non é... Ben, si, é certo... –proseguiu o mestre con aquela súa vociña carente de espírito–. O caso é que vou substituír a señorita Spite como titor, e tamén vos vou dar Historia e Lingua. Son o señor Foy. –Escribiu o seu nome no encerado cunha letra moi xeitosa–. Pero podédesme chamar Ken.

De pronto fíxose un silencio, mentres as engrenaxes de trinta cerebros infantís xiraban a toda velocidade.

–Ken Foy? Eu non fun! –gritou un rapaz rubio dende o fondo.

Unha inmensa onda de gargalladas asolagou a aula. Joe quixera darlle unha oportunidade a aquel pobre infeliz, pero non puido conter a risa.

–Por favor. Por favor. Podedes baixar o ton? –imploraba o mestre de nome desgraciado.

Pero non tiña nada que facer. A clase estaba totalmente descontrolada. O novo titor cometera a maior torpeza que se lle pode achacar a un docente: ter un nome parvo. E isto vai moi en serio. Se o voso nome figura na seguinte lista, é fundamental que non estudedes Maxisterio:

Xesús Todemorte

Susana Torio

Melchor Omicas

Mariana Tomía

Bieito Lemia

Vítor Tura

Quintín Tureiro

Álex Cremento

Áitor Menta

Mónica Gallón

Irene Núfar

Henrique Cerse

Artur Bulencia

Lucas Tiñeiras

Enara Ñeira

Ester Mómetro

Pedro Medario

Marifé Licidade

Baltasar Cófago

Luísa Poconcho

Carmela Ancolía

Anxa Moneiro

Demetria Tlon

Dante Ror

Celso Litario

Marco Tobelo

Breogán Grena

Ricardo Loroso

Iván Dalismo

Cibrán Codosollos

Eva Cacións

Berta Lismán

Catuxa Barín

Carme Lenuda

Brais Landés

Alicia Nuro

Tonecho Colate

Marimar Ciana

Estela Ambón

Breixo Guete

Zulema Carra

Leonor Malidade

Moisés Talonga

Belén Tamente

Estevo Luntario

Tomás Acrados

Óscar Nívoro

Xiana Tación

Alberto Mate

Sandra Matismo

Vai en serio. Nin se vos ocorra. A non ser que queirades que os vosos alumnos fagan da vosa vida un inferno.

Mais volvamos á historia.

–Moi ben –dixo o mestre de nome desgraciado–. Imos pasar lista. Adams?

–Non se esqueza de Ben T. Vinn! –berrou un rapaz moi fraco de pelo roxo.

Estralaron outra vez as gargalladas.

–Pedinvos unha miguiña de silencio –pregou o señor Foy; daba peniña, o home.

–Nin de Pat Aplaf! –ruxiu outro rapaz.

A aquelas alturas, as gargalladas eran enxordecedoras.

Ken Foy escondeu a cara entre as mans. A Joe case que lle inspirou compaixón. A partir daquel día, a vida daquel homiño eslamiado ía ser un suplicio.

«Buah», pensou Joe. «Imos suspender todos.»

17

Petan na porta do váter

Hai unha serie de cousas que ninguén quere oír cando está sentado no trono.

A alarma de incendios.

Un terremoto.

Un león famélico a ruxir no cubículo contiguo.

Un gran grupo de persoas a chiar: «Sorpresa!».

O ruído dunha descomunal bóla de demolición botando abaixo os aseos.

O clic de facer unha foto.

O son dunha anguía eléctrica nadando polo sifón arriba.

Un trade furando a parede.

Unha canción dos JLS. (Tamén é certo que isto non apetece oílo nunca, nin no retrete nin fóra.)

Unha man que peta na porta.

Pois ben, xusto isto último foi o que sentiu Joe á hora do recreo cando tomou asento no váter dos rapaces.

PUN PUN PUN.

Aclaremos sen demora, meus lectores, que non vos están a petar na porta da casa. Petan na porta do cubículo en que se fechou Joe.

–Quen é? –preguntou Joe, amolado.

–Son Bob –respondeu… si, adiviñástelo: Bob.

–Marcha, que estou ocupado –dixo Joe.

–Teño que falar contigo.

Joe tirou da cadea e abriu a porta.

–Que me queres? –dixo con malos modos mentres se dirixía ó lavabo.

Bob foille detrás sen deixar de larpar patacas fritidas de bolsa. Aínda había unha hora que pasara pola tenda de frituras coma todo o mundo, pero coñécese que a Bob lle entraba a fame moi rápido.

–Non deberías comer patacas fritidas no váter, Bob.

–E logo por que?

–Porque… porque… Eu que sei, porque ás patacas seguro que non lles fai graza. –Joe abriu a billa cun golpe para lavar as mans–. Tanto ten. Veña, fala, que querías?

Bob meteu a bolsa no peto do pantalón e colocouse detrás do seu ex-amigo. Sostívolle a mirada no espello.

–Dicirche algo sobre Lauren.

–Que tes que dicir dela? –Joe xa imaxinara que ía por aí a cousa. Bob estaba celoso.

Bob apartou a mirada un segundo e colleu folgos.

–Creo que non debes confiar nela –dixo.

Joe deu media volta bruscamente, furibundo.

–Que dixeches?! –grallou.

Bob recuou un paso, asombrado.

–É que penso que Lauren é unha…

–QUE LAUREN É UNHA QUE? EH?

–Que é unha falsa.

–Falsa? –Joe sentiu unha cólera indescritible.

–A xente anda a dicir que é unha actriz. Din que saíu nun anuncio ou algo así. E eu vina con outro esta fin de semana.

–Que?!

–Mira, Joe, penso que o de gustáreslle é todo teatro.

Joe achegou a cara á de Bob. Odiaba estar tan furioso. Perder así os estribos metía moito medo.

–REPÍTEO SE TE ATREVES.

Bob retrocedeu.

–Escoita, síntoo moito, non busco pelexa, só che estou a contar o que vin.

–É mentira.

–Non é!

–O que che pasa é que tes envexa porque lle gusto a Lauren, mentres que ti es unha foca monxe que non ten nin medio amigo.

–Non é por envexa, é porque me preocupo por ti, Joe. Non quero que che fagan mal.

–Xa, claro –dixo Joe–. Moita preocupación tiñas por min cando me chamaches mocoso consentido.

–De verdade, eu…

–Eu nada. Déixame en paz, vale? Xa non somos amigos. Aquel día faleiche porque me dabas pena, non hai máis.

–O que? Como que che daba pena? –Bob comezou a esbagoar.

–Home, tampouco é q…

–Pena por que, por ser gordo? Por ser o pandote dos matóns? Por ser orfo de pai?! –Bob fora elevando a voz.

–Non, é só que... Non quixen dicir que... –Joe non sabía o que quixera dicir. Botou a man ó peto, tirou un rolo de billetes de cincuenta libras e ofreceullos a Bob–. Boh, pídoche perdón, toma. Cómpralle un regalo á túa nai.

Bob meteulles unha losqueada ós billetes, que quedaron ciscados polo piso mollado.

–Ti non tes vergonza!

–E agora que fixen? –protestou Joe–. Que raio che pasa, Bob? Eu só quería axudarte!

–Pois eu non quero que me axudes. Non quero saber nada de ti nunca máis!

–Perfecto!

–E aquí o único que dá pena es ti. Es un miserable.

Bob marchou feito unha fera.

Joe suspirou e, acto seguido, púxose de xeonllos e apañou os billetes mollados.

–Que idiotez! –exclamou Lauren máis tarde, botándose a rir–. Unha actriz, eu! Se nin sequera me darían un papel no festival do colexio!

Joe quixo rir con ela, pero non foi capaz. Estaban sentados no banco do patio, tremendo un pouco co frío. A Joe custoulle pronunciar a seguinte frase. Quería e non quería ó mesmo tempo saber a resposta. Respirou fondo.

–Tamén dixo que te viu con outro. É certo?

–Como? –saltou Lauren.

–Esta fin de semana. Di que te viu por aí con outro. –Joe mirouna fixamente, tratando de descifrar a súa expresión. Por un instante pareceu que Lauren se acantoaba dentro de si mesma.

–Que mentirán –dixo ela ó cabo.

–Xa me parecía –contestou Joe, aliviado.

–Ese mente máis que fala –engadiu Lauren–. Non me explico que foses amigo seu.

–Bah, aquilo foi visto e non visto –defendeuse Joe, avergonzado–. Agora cáeme mal.

–Eu ódioo. Que mentirán, o moi porco. Prométeme que non vas volver falar con el nunca na vida –urxiuno Lauren.

–Home…

–Prométemo, Joe.

–Prométocho –respondeu el.

Unha viruxe desagradable azoutou o patio do colexio.

18

A Vortex 3000

Lauren non cría que a recollida de sinaturas para que readmitisen a señorita Spite fose ter moito éxito.

E acertou.

Cando acabaron as clases, Joe só conseguira tres sinaturas: a del, a de Lauren e a da señora Trafe. A cociñeira asinara soamente porque Joe accedera a catar unha das súas tortaletas de cagallas de hámster. O sabor era aínda peor có nome. Malia que tiña pouco máis ca un folio en branco, a Joe pareceulle que igualmente pagaba a pena presentarlle o documento ó director. A señorita Spite caíalle coma un tiro, pero non entendía a santo de que a despediran. Era boa mestra malia todo, dende logo moitísimo mellor có Ken Veu ou como raio se chamase.

–Ola, nenos! –saudounos a administrativa, moi contenta. A señora Chubb era unha señora moi grosa e moi alfúfara que sempre levaba anteollos de cores vivas. Pasaba a vida sentada na súa mesa da dirección. De feito, ninguén a vira de pé nunca na vida. Non é descartable que, ó ser tan reboluda, quedase atrancada permanentemente na cadeira.

–Queriamos falar co director, por favor –explicou Joe.

–Fixemos unha recolleita de sinaturas –engadiu Lauren para axudar, axitando coa man o papel en cuestión.

–Unha recolleita de sinaturas! Que divertido! –A señora Chubb sorriu de orella a orella.

–Si, para que volva a señorita Spite –dixo Joe nun ton viril co cal tentaba impresionar a Lauren. Estivo tentado de dar unha puñada na mesa para achegar énfase, pero freouse porque non quería envorcar ningún dos millóns de bonequiños de boa sorte que coleccionaba a señora Chubb.

–Ai, si, a señorita Spite, marabillosa mestra. Eu diso non sei nada, pero, nenos, por desgraza teño que dicirvos que o señor Dust xusto acaba de marchar.

–Vaites –lamentouse Joe.

–Si, agora mesmiño. Mirade, por aí o vai. –Cun dos chourizos cheos de aneis que tiña por dedos, sinalou cara ó aparcadoiro. Joe e Lauren miraron pola fiestra. O director afastábase a paso de burra co seu andador.

–Free un pouco, señor Dust, non vaia ser o demo que se accidente! –berroulle a administrativa pola fiestra. Logo encarou a Joe e Lauren–. Non me oe. A verdade é que está coma unha tapia. É se me deixades aquí o documento? –Ladeou a cara e estudou o folio uns segundos–. Vaia por Deus, seica vos caeron do papel todas as sinaturas!

–Xa, criamos que nos asinaría máis xente –explicou Joe, algo sentido.

–Se corredes, igual o alcanzades! –propúxolles a señora Chubb.

Joe e Lauren trocaron un sorriso e botaron a andar cara ó aparcadoiro con toda a cachaza do mundo. Quedaron coa boca aberta ó ver que o señor Dust arrombara o andador e estaba a montar nunha flamante Harley Davidson nova do trinque. Era a Vortex 3000 con motor reacción, o ultimísimo en motos. Joe recoñeceuna porque o pai posuía unha modesta colección de trescentas motocicletas e sempre era a mostrarlle os catálogos das que pretendía adquirir a continuación. Aquel modelo custaba 250 000 libras e era a moto máis cara xamais fabricada. Máis ancha ca un coche, máis alta ca unha furgoneta e máis negra ca un burato negro. Refulxía cun brillo metálico moi distinto ó do andador do director.

–Director! –chamouno Joe, pero chegou tarde. O señor Dust xa puxera o casco e acendera o motor. Meteu primeira e saíu a douscentos por hora por diante dos humildes coches dos outros profesores. Acelerou tanto que ía agarrado só das mans, porque os paucíños vellos das pernas voaban coma bandeiras ó vento.

–IIIUUUUUPPPPPPPIIIIIIII...! –chiou o director cando se perdeu na distancia ó lombo do seu inconcibible maquinón, convertido en cuestión de segundos nun mero puntiño aló ó lonxe.

–Aquí pasa algo moi raro –díxolle Joe a Lauren–. Danlle pasaporte á Bruxa, o director aparece cunha moto de 250 000 libras…

–Bah, que parvadas dis, Joe! Non ves que é pura coincidencia? –riu Lauren–. Unha cousa: sigo invitada a cear hoxe á noite? –apresurouse a engadir para cambiar de tema.

–Si, si, si –confirmoulle Joe con ansia–. Vémonos diante da de Raj dentro dunha hora?

–Xenial. Deica logo!

Joe sorriu tamén e quedou a mirar como marchaba.

Mais aquela aura dourada que envolvía a Lauren cando Joe pensaba nela comezara a perder lustre. De súpeto tiña a sensación de que algo ía rematadamente mal…

19

O cu dun mandril

–Igual o director ten a crise dos corenta –dixo Raj.

De camiño á casa despois das clases, Joe parara no quiosco e contáralle a Raj as cousas tan estrañas que ocorreran ese día.

–Onde lle van os corenta! Se non fixo os cen, pouco lle falta –obxectou Joe.

–Referíame, neno xarelo, a que quizais está tratando de sentirse mozo outra vez –explicouse Raj.

–Pero é a moto máis cara do mundo! Custa 250 000 libras. O señor Dust é mestre, non futbolista. Con que a pagou?! –exclamou Joe.

–Eu que sei? Ou pensas que ando por aí resolvendo misterios coma a señorita Marbles ou o gran Shylock Holmes? –dixo Raj, e xusto despois mirou ó seu redor e baixou a voz para engadir–: Escoita, Joe, teño que che consultar unha cousa, pero non pode saír de aquí.

Joe tamén baixou a voz.

–Pregunta.

–Isto dáme moitísima vergonza, Joe –bisbou Raj–. Pero… ti usas o papel hixiénico especial do teu pai?

–Home, claro, Raj, coma todo o mundo.

–Pois eu levo unhas semaniñas empregando o novo produto que acaba de sacar.

–As toalliñas mentoladas? –preguntou Joe. A gama Suavicú era amplísima, e incluía produtos tales como:

SUAVICÚ TÉRMICO: achega unha agradable sensación de calor

SUAVICÚ ELA: toalliñas extrasuaves para a pel feminina

SUAVICÚ MENTOLADO: deixa un refrescante aroma a menta

–Si, e… –Raj colleu aire–. O traseiro fóiseme poñendo… en fin… morado.

–Morado!? –exclamou Joe cunha gargallada de abraio.

–Non sei que graza lle ves –reprochoulle Raj. De súpeto mirou para detrás de Joe–. O *Daily Mail* e un paquete de Rolos. Sonlle oitenta e cinco peniques. Ollo cos Rolos, señor Little, que por dentro do chocolate levan tofe e aínda lle poden arrincar a dentadura postiza.

Agardou a que o xubilado marchase do quiosco. A campaíña da porta tintinou.

–Non me dera de conta de que estaba na tenda! Debía andar axexando detrás dos Quavers –dixo Raj, un pouco preocupado por se o xubilado oíra a súa conversa.

–Estás de broma, verdade, Raj? –preguntoulle Joe cun sorriso pícaro.

–Fáloche totalmente en serio –respondeu Raj, solemne.

–Veña, déixame ver –dixo Joe.

–Como che vou amosar o cu? Se hai catro días que nos coñecemos! –saltou Raj–. O que si, vouche facer un esquema.

–Un esquema? –preguntou Joe.

–Un pouquiño de paciencia, Joe.

Ante a mirada do rapaz, Raj pillou papel e rotuladores e debuxou este sinxelo gráfico de barras:

–Puf, pois si que o tes morado morado! –exclamou Joe, estudando o diagrama–. E dóeche?

–Algo proe.

–Fuches ó médico? –preguntou Joe.

–Si, e díxome que non deixan de chegarlle pacientes co cu coma un semáforo.

–Puf –dixo Joe.

–Como me teñan que facer un transplante de cu…!

A Joe entroulle a risa ó seu pesar.

–Un transplante de cu?!

–Si! E non sei por que che fai tanta graza, Joe! –reprendeuno Raj. Notábaselle na mirada que lle doía ver os seus problemas cuís convertidos en obxecto de mofa.

–Nada de graza, nada de graza, perdoa –dixo Joe, que contiña a risa.

–Paréceme que vou deixar de usar as novas toalliñas Suavicú do teu pai e volver ó papel satinado de toda a vida que mercaba a miña muller.

–As toalliñas seguro que non son –dixo Joe.

–E logo que vai ser?

–Mira, Raj, eu teño que marchar –dixo Joe–. A miña moza vai vir á miña casa.

–Uuuuh, daquela tes moza? É aquela rapaza tan xeitosa que trouxeches a mercar polos?

–A tal –dixo Joe, algo cohibido–. Ben, tecnicamente non sei se lle podo chamar a miña moza, pero andamos xuntos todo o día e…

–Pois ala, a pasalo ben!

–Grazas! –Ó chegar á porta, Joe mirou para atrás e faloulle ó quiosqueiro–. Ah, Raj, por certo: moita sorte co transplante de cu.

–Grazas, amigo meu.

–A ver se atopan un do teu talle! –chanceouse Joe.

–O que faltaba! Xa me estás liscando de aquí! –tornouno Raj.

Tintín!

–Que pouca vergonza! –moumeou o quiosqueiro cun sorriso, e foi á sección de chocolates para reordenar os Curly Wurlys.

20

Unha pelota inchable rebozada en pelos

Vila Suavicú retumbaba dos alicerces ó faiado co estrondo da música. Todas as salas estaban inundadas de luces de cores que xiraban sen cesar. Pola casa pululaban centos de persoas. Celebrábase unha festa desas en que a policía recibe queixas polo ruído.

Dende Suecia.

Joe non tiña nin idea de que esa noite houbese festa na súa casa. Como o pai non lle comentara nada á hora do almorzo, Joe invitara a Lauren a cear. Ó ser venres, ó outro día non tiñan que madrugar. Había ser perfecto. Cunha pouca sorte, beixábanse e todo.

–Tes que perdoar, isto cólleme de improviso –escusouse Joe conforme se acercaban á maxestosa escalinata dianteira.

–Sen problema, encántanme as festas! –respondeu Lauren.

Caía a noite, e da mansión saía xente descoñecida facendo eses, agarrados a botellas de champaña. Joe colleu a

Lauren da man e xuntos franquearon a inmensa porta de carballo.

–Guau, vaia palacio! –chiou Lauren por riba da música.

–Como? –Joe non llo entendera.

Lauren púxolle a Joe a man no oído para que a oíse.

–Que vaia palacio, dixen!

Pero Joe tampouco llo entendeu moi ben desa vez. Notar tan cerca a caloriña do alento de Lauren inxectoulle tal euforia que por un segundo quedou xordo.

–GRAZAS! –berroulle Joe a Lauren, tamén ó oído. A pel ulíalle doce coma o mel.

Joe percorreu a casa de arriba abaixo na busca do pai. Non aparecía por ningures. Estaba todo cheo de invitados. Joe non recoñeceu nin o primeiro. Quen raio era toda aquela xente que se dedicaba a enviar cócteles e engulipar canapés coma se levasen dez anos xaxuando? Ó ser pequeneiro, a Joe resultáballe moi difícil ver por riba deles. O pai non estaba na sala de billar. Nin no comedor. Nin na sala de masaxes. Nin na biblioteca. Nin no outro comedor. Nin no seu dormitorio. Nin no reptiliario.

–A ver na piscina cuberta! –voceoulle Joe a Lauren ó oído.

–Tedes piscina cuberta? Que xenial! –voceou ela en resposta.

Pasaron por diante dunha muller que, dobrada polo van, vomitaba xunta a sauna mentres un home (o mozo, seguramente) lle daba petadiñas no lombo a modo de consolo. Na piscina interior encontraron varios invitados que, ora por caerse, ora por meterse adrede, acabaran dentro da auga e se dedicaban a batuxar. A Joe gustáballe moito nadar, e angustiouse moito ó pensar que ningunha daquelas persoas tiña traza de saír da auga se lles entraba a gana de mexar.

Xusto entón dexergou o pai: non levaba posto máis có traxe de baño e o perruquín afro, e estaba a bailar ó ritmo dunha canción que non tiña nada que ver coa que soaba. Na parede de detrás víase un enorme mural que representaba unha versión estrañamente musculada da súa persoa, en tanga e medio reclinado. O señor Spud de carne e óso meneábase diante do mural, dando un espectáculo bastante lamentable. Figuraba unha pelota inchable rebozada en pelos.

–Que pasa aquí, papá? –berrou Joe, un pouco porque a música estaba altísima e outro pouco porque lle parecía mal que o pai non lle comentara nin media palabra sobre a tal festa–. Quen é toda esta xente? Amigos teus?

–Non, home, non! Invitados de alugueiro! Cincocentas libras por barba. www.invitados.com.

–E que se celebra, papá?

–Pois verás que contento te vas poñer: Sapphire e mais eu imos casar! –gritou o señor Spud.

–Que c…?! –dixo Joe, incapaz de disimular a conmoción.

–Va que é marabilloso? –berrou o pai.

A música seguía atronando co seu bumba bumba bumba.

Joe negábase a crelo. En serio aquela boneca inflable sen miolos ía converterse na súa nova nai?

–Pedinllo onte e primeiro dixo que non, pero hoxe volvinllo pedir, desta volta cun anel cun cacho diamantazo, e daquela xa aceptou.

–Parabéns, señor Spud –dixo Lauren.

–E ti seguro que es algunha compañeira de colexio do meu fillo, verdade que si? –preguntou o señor Spud, atrapallándose un pouco, coma se estivese nervioso.

–Xusto, xusto, señor Spud –respondeu Lauren.

–Chámame Len, por favor –dixo o señor Spud cun sorriso–. E téñoche que presentar a Sapphire. SAPPHIRE! –berregou.

Sapphire achegouse carrandeando, cos seus taconazos de rechamante cor amarela e un bikini tamén amarelo e aínda máis rechamante.

–Amósaslle á amiga de Joe o anel de compromiso, meu amor dos amores, dona do meu corazón? Vinte millóns do peto, e iso só o diamante.

Joe esculcou o diamante que levaba na man a súa inminente madrasta. De tamaño era máis ou menos coma un chalé. Pesaba tanto que Sapphire andaba escorada para esquerda.

–Eh… ah… ai… É que pesa tanto que non podo levantar a man, pero se te agachas ti… –dixo Sapphire. Lauren avanzou un paso para velo mellor–. Ti non me soas de algures? –preguntoulle entón Sapphire.

O señor Spud interveu decontado.

–Non che soa de nada, meu amoriño da alma.

–Sóame tal! –insistiu Sapphire.

–Que non, meu pasteliño de azucre!

–AH, VALE! Xa sei de que me soas!

–Cala esa boquiña preciosa, miña princesa de chocolate! –aburouna o señor Spud.

–Es a do anuncio dos fideos instantáneos Pot Noodle! –exclamou Sapphire.

Joe mirou para Lauren, que agachou a cabeza.

–É un anuncio chulísimo! Ti seguro que estás farto de velo, Joe –proseguiu Sapphire–. O último, o dos fideos sabor agridoce. Ese en que a rapaza ten que facerlle karate á xente para que non lle leven os fideos!

–Era certo! Es unha actriz! –farfallou Joe.

O anuncio empezaba a perfilarse no seu recordo. Lauren tiña o pelo doutra cor e non vestía unha funda amarela moi cinguida, pero era claramente a mesma rapaza.

–Mellor marcho –dixo Lauren.

–E tamén é mentira o de que non tes mozo? –esixiu saber Joe.

–Adeus, Joe –dixo Lauren e, coándose por entre os invitados que ateigaban a piscina interior, marchou.

–LAUREN! –gritoulle Joe.

–Déixaa ir, fillo –dixo o señor Spud, entristecido.

Pero Joe saíu a correr detrás dela. Alcanzouna xusto cando chegaba á escalinata. Agarrouna do brazo con máis forza da que calculara; ela xirouse, adoecida.

–Au!

–Por que me mentiches? –tatexou Joe.

–Mira, Joe, mellor non preguntes –dixo Lauren. De repente parecía outra persoa. Falaba cun acento máis requintado e tiña unha mirada menos doce. O brillo dos seus ollos desaparecera sen deixar rastro e a luz que irradiaba transformárase en sombra–. Non queres sabelo.

–Non quero saber o que?

–Moi ben, ti verás. O teu pai viume no anuncio dos fideos e chamou o meu axente. Contoulle que o estabas pasando mal no colexio e contratoume para que me fixese amiga túa. Ía todo ben ata que intentaches beixarme.

Baixou as escaleiras e marchou a correr polo longo camiño de acceso á casa. Joe quedou uns segundos observando como se afastaba, ata que a dor que sentía no corazón se fixo tan intensa que tivo que engruñar o corpo para atuala. Caeu de xeonllos. Un invitado avantouno e seguiu andando. Joe nin sequera levantou a vista. Era tal a súa pena que non se vía capaz de erguerse nunca máis.

21

Un módulo de estética

–PAPÁ! –bruou Joe. Endexamais estivera tan furibundo, e desexaba non volver estalo nunca. Entrou correndo na piscina cuberta para se enfrontar ó pai.

O señor Spud atondou o perruquín con nerviosismo ó ver que se lle achegaba o fillo.

Joe chantouse diante do pai. Estaba hiperventilando e sentía tanta carraxe que non lle saían as palabras.

–Perdóame, fillo. Crin que era o que desexabas, unha amiga. Eu só quería que foses máis feliz no colexio. Tamén fixen que botasen aquela mestra que tanto detestabas. Bastoume con mercarlle unha moto ó director.

–Ou sexa... Que primeiro mandaches unha señora ó paro... E logo... E logo... contrataches... unha rapaza... para que fixese coma quen... que eu lle gustaba...

–Porque crin que era o que desexabas.

–Que!?

–Escoita, pódoche comprar outro amigo –dixo o señor Spud.

–NON O ENTENDES, VERDADE? –chiou Joe–. Hai cousas que non se compran con diñeiro!

–Por exemplo?

–A amizade. Os sentimentos. O amor!

–Ei, ei, ei, para o carro: o amor si –interveu Sapphire, que seguía sen dar levantado a man.

–Ódiote, papá, ódiote de veras! –gritou Joe.

–Joe, por favor –imploroulle o señor Spud–. Ímonos tranquilizar todos. Que tal un chequiño por valor de cinco millóns de libras?

–Oi, si, que ben! –dixo Sapphire.

–Non che hei volver coller unha condenada libra –espetoulle Joe.

–Pero… Fillo… –farfallou o señor Spud.

–Oxalá eu non acabe coma ti… Un cincuentón comprometido cunha analfabeta que pode ser a súa filla!

–Oes, de analfabeta nada, que teño un módulo de estética! –defendeuse Sapphire, moi ofendida.

–Non vos quero ver diante nunca máis a ningún dos dous! –dixo Joe. Marchou correndo e, ó tal facer, empurrou a muller que seguía a botar a pota e tirou con ela á piscina. Ó saír, cerrou cun golpe estrondoso a enorme porta da piscina cuberta. Un dos azulexos do mural –xusto da parte do tanga– despegouse da parede e esnaquizouse contra o piso.

–JOE! JOE! AGARDA! –gritou o señor Spud.

Joe abriuse camiño por entre as hordas de invitados, subiu correndo ó seu cuarto e encerrouse nel. Non tiña fecho, conque colleu unha cadeira e encaixouna debaixo do picaporte para impedir a apertura. Mentres sentía o tumba tumba da música a través da moqueta, Joe agarrou unha bolsa e empezou a meter roupa nela. Como non sabía onde ir, tampouco estaba seguro do que había necesitar. O único que vía claro era que non quería pasar nin un minuto máis naquela tolería de casa. Pillou dous dos seus libros favoritos *(O rapaz do vestido* e mais *A avoa gánster,* dúas obras que lle parecían divertidísimas, pero tamén conmovedoras).

Logo mirou para os andeis, onde repousaban todos os seus carísimos trebellos e xoguetes. Chamoulle a atención o foguete que lle fabricara o pai con tubos de papel hixiénico cando aínda traballaba na fábrica. Lembrou que fora o agasallo do seu oitavo aniversario. Daquela os seus pais aínda estaban xuntos, e a Joe pareceulle que fora a derradeira vez que sentira verdadeira felicidade.

Xusto cando botaba a man para collelo, sentiuse un golpe forte na porta.

–Fillo! Fillo! Ábreme!

Joe non deu palabra. Non tiña nada máis que dicirlle a aquel home. Quenquera que fose o seu pai, desaparecera anos atrás.

–Joe, por favor –dixo o señor Spud. E fíxose o silencio.

BBBBLUUUUUUUUUUUUUUU UMMMMMMMMMM.

O pai de Joe estaba tratando de entrar pola forza.

–Abre!

BBBBBBBLUUUUUUUUUUUU UUUUUUUUUUUUUUUUUUUU UUUUUUUUUUUUMMMMMM MMMMMMMMMM.

–Eu deicho todo! –Estaba empurrando con todas as súas forzas, e as heroicas patas da cadeira afundíanse cada vez máis na moqueta. O pai fixo un derradeiro intento.

BBBBBBBBBBBBBBBBBLU UUUUUUUUUUUUUUUUUU UUUUUUUUUUUUUUUUUU UUUUUUUUUUUMMMMMMM MMMMMMMMMMMMMMMM MMMMMMMMMMMMMMMM MMMMMMMM.

Entón Joe sentiu un golpe moito máis suave: o pai deixárase caer contra a porta. Despois oíronse unha renxedura –era o corpo a esvarar en dirección ó chan– e uns saloucos. De pronto apagouse a luz que entraba pola fenda inferior da porta. O pai debera de quedar deitado no corredor.

Spud fillo sentía unha culpa insoportable. Sabía que o único que debía facer para que o pai deixase de sufrir era abrir aquela porta. Por un instante pousou a man na cadeira. «Se abro», pensou, «seguirá todo igual.»

Joe colleu aire, retirou a man da cadeira, agarrou a bolsa e dirixiuse á fiestra. Abriuna moi amodiño, para que o pai non o oíse, e upouse ó peitoril. Aínda botou unha derradeira ollada ó seu dormitorio antes de saltar e internarse na escuridade e nun novo capítulo.

22

Un novo capítulo

Joe correu todo canto puido, que no seu caso non era moito, para que enganarnos. Pero a el pareceullo. Correu pola longa, longuísima pista de acceso da mansión. Esquivou os vixilantes da cancela. Saltou por riba da tapia. Aquela tapia era para que non entrase ninguén ou para que non saíse el? Nunca se lle ocorrera. Pero non parecía o momento de cavilar sobre aquilo. Joe tiña que correr. Sen parar.

Joe non sabía cara a onde corría. Só sabía de que fuxía. Non podía vivir nin un minuto máis naquela condenada casa co seu condenado pai. Joe botouse a correr pola estrada. Non oía máis cá súa propia respiración, cada vez máis acelerada. Notaba un leve resaibo ó sangue na boca. Arrepentíase de non poñer máis interese na carreira de campo a través do colexio.

Xa era tarde. Pasaban das doce. Os farois alumaban en van a vila deserta. Ó chegar ó centro urbano, Joe detívose. Non había mais ca un coche na rúa. Ó decatarse de que estaba só, Joe sentiu unha picada de medo. Asimilou de golpe a realidade da súa grande evasión. Mirouse reflectido nos cristais do KFC, pechado e escuro. Devolveulle a mirada un rapazolo gordecho de doce anos que non tiña para onde ir. Pola rúa pasou, engorde e en silencio, un coche da policía. Estaban a buscar por el? Joe escondeuse detrás do colector do lixo. O gafume a graxa, kétchup e cartón quente era tan nauseabundo que sentiu vascas. Joe tapou a boca para afogar o ruído. Non quería que o descubrisen os polis.

O coche patrulla montou a esquina e Joe volveu saír á rúa. Coma un hámster fuxido da gaiola, buscaba o amparo das paredes e as esquinas. Podería ir á casa de Bob? «Non», respondeuse. Cando se idiotizara con Lauren (ou como raio se chamase de verdade), deixara tirado o seu único amigo. A señora Trafe sempre estivera aí para escoitalo, pero ó final descubrírase que fora detrás dos cartos dende o minuto un.

E Raj? «Si», pensou Joe. Podía ir para onde o quiosqueiro de cu morado. Instalaría o seu campamento detrás do refrixerador. Alí agochado, san e salvo, Joe podería pasar o día lendo a revista *Nuts* e dándose festíns de lambonadas conforme caducasen. Non imaxinaba unha existencia máis plácida.

A Joe traballáballe o cerebro a todo gas, e as pernas non tardaron en sumarse. Atravesou a rúa e xirou á esquerda. O quiosco de Raj quedaba apenas unhas rúas máis alá. Entón, procedente do ceo negro, sentiu un zunido distante. Que se foi facendo máis forte. Ata converterse nun ruxido. E, ó cabo, nun bramido.

Era un helicóptero. Un reflector varría as rúas. A voz do señor Spud atronou dende un altofalante.

–JOE SPUD, FÁLACHE O TEU PAI. ENTRÉGATE. REPITO, ENTRÉGATE!

Joe correu a refuxiarse na entrada da droguería The Body Shop. O reflector non o localizara polo gordo dun pelo. Os aromas do xel de baño con piña e granada e mais do exfoliante de pés a base de pitaia fixéronlle unhas cóxegas agradables no nariz. Ó oír que o helicóptero pasaba por riba coma un vendaval, Joe cruzou a rúa á velocidade do raio, pasou silandeiro por diante do Pizza Hut primeiro, do Pizza Express despois e, finalmente, foise acubillar no portal dun Domino's Pizza. Xusto cando se dispoñía a saír para botar a correr en dirección a un Bella Pasta, o helicóptero volveu sobrevoar a rúa. De pronto, Joe Spud viuse atrapado no círculo de luz do reflector.

–NON TE MOVAS. REPITO, NON TE MOVAS! –atronou a voz.

Joe mirou para a luz do alto mentres o corpo enteiro lle vibraba co vento levantado polas hélices.

–Déixame en paz! –berrou–. Repito, déixame en paz!

–VOLVE Á CASA AGORA MESMO, JOE.

–Non.

–JOE, ACABO DE DICIRCHE QUE…

–Ben oín o que dixeches e non penso volver á casa. Non penso volver xamais! –gritou Joe.

Alí de pé, alumado por aquela lámpada tan potente, sentíase coma se estivese no escenario do colexio, interpretando unha obra de teatro escolar especialmente dramática. O helicóptero zunía no aire mentres pola megafonía se oía o crepitar do silencio.

E entón Joe agarrou a correr coma un lóstrego. Meteuse por unha calella que pasaba por detrás dun bazar Argos, atravesou un aparcadoiro público e deu volta por detrás dunha droguería Superdrug. Pronto o helicóptero non era máis ca un zunido remoto, menos audible cós paxaros insomnes.

En chegando á de Raj, Joe petou amodo nas persianas metálicas. Como non houbo resposta, volveu petar, pero desa vez con tanta forza que as persianas choquelearon. E mais non saíu ninguén. Joe mirou a hora. Eran as dúas da mañá. Así se explicaba que Raj non estivese no quiosco.

Polo que se botaba de ver, Joe ía ser o primeiro milmillonario da historia que pasaba a noite na rúa.

23

Gabarras de canal

–Que fas ti aquí?

Joe non sabía se estaba esperto ou simplemente soñando que estaba esperto. O que non admitía dúbida era que quedara paralizado. Entalecera co frío e tiña mal do cocote ás dedas. Joe aínda non era quen de abrir os ollos, pero comprendía con claridade que non se achaba entre as sabas de seda da súa cama con dosel.

–Que fas ti aquí, pregunto? –volveuse sentir a voz.

Joe engurrou o cello, desorientado. O seu mordomo non falaba con aquel acento indio. Joe fixo un esforzo por separar as pálpebras, apegañadas polo sono. E viu un gran sorriso inclinado sobre el.

Era Raj.

–Que fas aquí tan cedo, señorito Spud? –preguntou o afable quiosqueiro.

Quería despuntar o día e Joe mirou ó seu arredor. Acubillárase dentro dun colector de entullo que levaba uns días diante da porta da de Raj e alí adormecera. Uns ladrillos fixéranlle de almofada; unha lona, de edredón; unha porta de madeira, toda vella e poeirenta, de colchón. Así se explicaba que tivese o corpo mallado.

–Ah… Si, ola, Raj –dixo Joe coa voz rouca.

–Ola, Joe. Estaba abrindo o quiosco e sentín ronquidos. E atopeite. Non contaba con verte aí dentro, tamén cho digo.

–Eu non ronco! –protestou Joe.

–Lamento comunicarche que roncas. Ben, fasme agora o favor de saír do colector de entullo e entrar na tenda? Paréceme que temos que falar –dixo Raj, nesa ocasión sen asomo de brincadeira.

«O que faltaba», pensou Joe. «Agora Raj enfadouse comigo.»

Malia que Raj era adulto tanto en idade coma en talle, realmente non cadraba na categoría de pai nin de mestre, conque resultaba dificilísimo enfadalo. Un día Raj cachara unha rapaza do colexio de Joe roubando unha bolsa de aperitivos de millo con sabor a queixo chamados Wotsis e prohibíralle volver poñer os pés no seu quiosco durante nada máis e nada menos ca cinco minutos.

O poeirento multimillonario saíu con traballo do colector. Raj improvisoulle un asento cunha torre de revistas *Heat* e púxolle un exemplar do *Financial Times* por riba dos ombreiros, a modo de aburrida manta cor salmón.

–Para min que pasaches a noite enteira aí fóra papando frío, Joe. Veña, ímosche dar algo de almorzo. Que tal un refresco tropical Lilt ben quentiño?

–Non, grazas –respondeu Joe.

–E dous ovos de chocolate pasados por auga?

Joe fixo que non.

–Tes que meter algo no corpo, neno. Unha barriña de chocolate Galaxy, torrada volta e volta?

–Non, grazas.

–E unha boa cunca de monstriños de millo inflado con sabor a cebolas en vinagre? Con leitiño morno?

–E que non teño fame, Raj –dixo Joe.

–Pois mira, a miña muller tenme a réxime e non me deixa almorzar nada que non sexa froita –dixo Raj, mentres abría o paquete dunha laranxa de chocolate Terry's–. Moi ben, vasme contar por que durmiches nun colector de entullo?

–Porque escapei da casa –informouno Joe.

–Ata aí chego –respondeu Raj coa boca empapuzada, porque metera nela unha chea de cuarteiróns da laranxa de chocolate–. Vaia, unha pebida –dixo, e cuspiu algo para a palma da man–. A pregunta é por que.

A Joe entroulle moita vergonza. Sentía que naquela historia el quedaba tan mal coma o pai.

–Acórdache aquela rapaza que trouxen por aquí estoutro día? Cando mercamos uns polos?

–Acórdame, non me vai acordar! Lembras que che comentei que me soaba a súa cara? Pois onte mesmo saíu na tele! Nun anuncio dos fideos instantáneos Pot Noodle! E que, ó final décheslle o bico? –preguntou Raj, moi ilusionado.

–Non. Resulta que era todo teatro pola súa parte. Contratouna o meu pai para que finxise ser amiga miña.

–Vaites! –condoeuse Raj. Borróuselle o sorriso da cara–. Que barbaridade. Iso non se lle fai a ninguén.

–Ódioo! –bufou Joe, cheo de carraxe.

–Non, home, non, non digas iso, Joe –respondeu Raj, conmocionado.

–É certo! –chiou Joe, mirando para Raj cos ollos acesos de rabia–. Por min que o leve o demo.

–Joe! Deixa agora mesmo de dicir burradas. É o teu pai!

–Ódioo. Non o quero volver ver diante en toda a miña vida.

Con moita cautela, Raj alongou o brazo e pousoulle a man a Joe no ombreiro. A furia de Joe transformouse instantaneamente en tristeza e, agachando a cabeza, botouse a chorar. Tremía coma un vimbio cada vez que un salouco lle percorría o corpo.

–Eu ben entendo o desgusto que levas encima, Joe, podes estar ben seguro –faloulle Raj–. Polo que me contaras, notábase que a rapaza che gustaba moitísimo. Pero imaxino que o teu pai só quería… Non sei, darche o gusto.

–É todo culpa dos millóns –dixo Joe, aínda que apenas se lle entendía con tanto choro–. Estragárono todo. Ata perdín o meu único amigo por culpa dos condenados cartos.

–É certo, levo un tempo sen verte con Bob. Que pasou?

–Que eu tamén fixen unha idiotez. Díxenlle unhas cousas noxentas.

–Vaia…

–Discutimos porque lles dei cartos a uns matóns para que o deixasen en paz. A min parecíame que era unha boa maneira de botarlle unha man, pero el colleu un cabreo tremendo.

Raj asentiu moi amodo.

–Pois mira, Joe… –dixo con moita calma–. Non vexo que haxa moita diferenza entre o que ti lle fixeches a Bob e o que o teu pai che fixo a ti.

–Igual é certo que son un mocoso consentido –díxolle Joe a Raj–. Como me chamou Bob.

–Non, home, non –respondeu Raj–. Simplemente metiches o zoco ata o fondo e agora tócache pedir perdón. Se Bob ten unha miga de senso común, perdóate seguro. Ben se ve que o fixeches con boa intención. Foi por facerlle un ben.

–Eu só quería que deixasen de facerlle a vida imposible! –dixo Joe–. Ocorréuseme que, se lles daba diñeiro…

–Xa, compañeiro, pero esa non é maneira de desfacerse duns matóns.

–Si, xa me dei de conta –recoñeceu Joe.

–Se lles dás cartos, hanche ir pedir máis e máis, ata o infinito.

–Xa, xa o sei, pero eu só quería axudar.

–Tes que comprender que hai cousas que non se arranxan con diñeiro, Joe. É posible que, indo e vindo días,

Bob acabase por revolverse contra os matóns. O diñeiro non é a solución! Sabes que xacando eu fun un potentado?

–En serio?! –dixo Joe, aínda que decontado lle deu apuro soar tan sorprendido. Fungou e enxugou as bágoas coa manga.

–Xaora! –respondeu Raj–. Noutrora fun propietario dunha gran cadea de quioscos de prensa.

–Guau! E cantas tendas tiñas, Raj?

–Dúas. Embolsaba centos de libras por semana, literalmente. Se tiña antollo de calquera cousa, mercábaa. Que me apetecían seis McNuggets de polo? Pasaba polo McDonald's e mercaba nove! Deime un capricho e merquei un Ford Fiesta de segunda man. E se un día alugaba un DVD no Blockbuster e se me pasaba a data de devolución, pagaba as 2,50 libras de multa e quedaba tan pancho!

–Pois... Vaia cambio de vida, tiveches que notalo moitísimo –dixo Joe, que non sabía moi ben o que responder–. Que problema tiveches?

–Con dous quioscos que atender, botaba no choio máis horas ca un reloxo, amiguiño, e esqueceume pasar tempo coa única persoa que quería de verdade. A miña muller. Comprábaballe agasallos de luxo. Caixas de chocolates con menta After Eight, unha gargantilla chapada en ouro do bazar Argos, vestidos marca George do hipermercado Asda... Cría que dese xeito a tería contenta, pero ela o único que quería era pasar tempo comigo –concluíu Raj cun sorriso triste.

–Xusto o que me pasa a min! –saltou Joe–. Eu só quero pasar tempo co meu pai. O raio do diñeiro tanto me ten –engadiu.

–Seguro que o teu pai te quere moitísimo. A estas horas ha de estar desesperado. Veña, lévote á casa. Queres? –dixo Raj.

Joe mirou para Raj e apañouse para sorrir a medias.

–Vale. Pero podemos parar antes na casa de Bob? Teño que falar con el sexa como sexa.

–Si, coido que fas ben. Vexamos, debo de ter o seu enderezo por algures, porque a súa nai está subscrita ó *Mirror* –dixo Raj, poñéndose a follear a axenda–. Ou era ó *Telegraph?* Ou ó semanario *Gabarras de canal?* Nunca me acorda. Ah, aquí a está. Piso 112. Urbanización Winton.

–Iso queda no quinto inferno!

–Ti non te preocupes, Joe: imos no rajmóbil!

24

O rajmóbil

–Isto é o rajmóbil? –preguntou Joe.

Raj e el estaban mirando para un diminuto triciclo de nena. Era rosa, levaba diante unha minicestiña branca e quedaríalle pequeno a unha cativa de seis anos.

–É! –proclamou Raj con orgullo.

Cando Raj mencionara o rajmóbil, Joe imaxinara algo do estilo do batmóbil de Batman, o Aston Martin de James Bond ou, como mínimo, a furgoneta de Scooby Doo.

–E non cres que che queda un pouco escaso?

–Merqueino en eBay por 3,50 libras, Joe. Na imaxe parecía moito meirande. Para min que fixeron a foto cun anano ó lado para despistar! Aínda así, a semellante prezo segue a ser unha ganga.

Nada convencido, Joe sentou na cestiña dianteira mentres Raj se acomodaba na sela.

–Agárrate forte, Joe! O rajmóbil vaiche coma unha bala! –avisouno Raj, e coa mesma púxose a pedalear.

O triciclo comezou a avanzar a duras penas, renxendo dolorosamente con cada xiro das rodiñas.

DINDÓN!

Meus lectores, iso que soou non era… Boh, paréceme que xa vale de facer sempre o mesmo chiste.

–Si? –dixo unha señora de expresión amable pero triste cando se abriu a porta do piso 112.

–É vostede a nai de Bob? –preguntou Joe.

–Son –respondeu ela. Mirouno cos ollos entornados–. Ti has de ser Joe –dixo, nun ton non demasiado amigable–. Xa me falou Bob de ti, xa…

–Ah. –A Joe deulle bastante apuro–. Quería falar un momentiño con el, se non lle importa.

–Pois non sei se el quererá falar contigo.

–Élle moi importante –dixo Joe–. Xa sei que me portei moi mal con el, por iso quería arranxar as cousas. Por favor.

A nai de Bob suspirou e por fin abriu a porta.

–Veña, pasa –dixo.

Joe entrou con ela. Aquel pisiño collía enteiro dentro do seu cuarto de baño privado. O edificio en si coñecera tempos mellores. O papel das paredes estaba medio despegado e a moqueta tiña zonas luídas. A nai de Bob conduciu a Joe polo corredor ata o dormitorio do fillo e petou.

–Que? –sentiuse a voz de Bob.

–Está aquí Joe. Quere falar contigo –respondeulle a nai.

–Mándao a pastar.

A nai de Bob mirou para Joe, avergonzada.

–Non sexas maleducado, Bob. Abre.

–Non quero falar con el.

–Será mellor que marche? –musitou Joe, medio virándose xa para irse.

A nai de Bob negou coa cabeza.

–Abre a porta neste mesmo instante, Bob. Oíchesme? Agora mesmo!

A porta abriuse moi paseniño. Bob aínda estaba en pixama. Quedou alí parado, mirando para Joe.

–E ti que queres? –preguntou de malos modos.

–Falar contigo –respondeu Joe.

–Pois fala.

–E se vos amaño o almorzo? –propuxo a nai de Bob.

–Non, que este xa logo marcha –replicou Bob.

A nai de Bob fixo un son de desaprobación e meteuse na cociña.

–Vinche pedir perdón –dixo Joe, moi nervioso.

–A boas horas –dixo Bob.

–Escoita, arrepíntome moitísimo de dicirche todas esas cousas que che dixen.

Bob porfiaba no seu enfado.

–Pasácheste moitísimo.

–Ben o sei e pídoche perdón. Non entendía por que estabas tan enfadado comigo. Eu só lles dei cartos ós Grubb porque quería que vivises máis tranquilo…

–Si, pero…

–Xa, xa sei –apurouse a aclarar Joe–. Agora entendo perfectamente que fixen mal. Só che quería explicar como razoei naquel momento.

–Un amigo verdadeiro había estar ó meu lado. Dándome apoio. Non repartindo billetes coma caramelos para sacar o problema do medio.

–Son un imbécil, Bob. Xa me dei de conta. Un imbécil dos grandes. –Bob sorriu un chisquiño, aínda que se notaba de lonxe que intentaba disimular–. E no de Lauren tiñas toda a razón, claro –proseguiu Joe.

–No de que era unha falsa?

–Si. Resultou que a tiña contratada o meu pai para que fose amiga miña –dixo Joe.

–Iso non cho sabía. Vaia desgusto debiches de levar.

A Joe encolléuselle o corazón ó recordar a inmensa pena que sentira na festa da véspera.

–E tanto. Porque a min me gustaba de verdade.

–Xa sei. Gustábache tanto que esqueciches quen eran os teus auténticos amigos…

Joe sentíase moi culpable.

–Xa o sei… Non sabes canto me pesa. A min cáesme de marabilla, Bob, en serio. Es o único rapaz do colexio que me tiña aprecio a min e non á miña fortuna.

–Pois veña, que morra o conto. Paréceche? –Bob sorriu.

Joe sorriu tamén.

–Eu o único que quería nesta vida era ter un amigo.

–Sigo a ser o teu amigo, Joe. Sempre o serei.

–Mira –dixo Joe–. Tróuxenche unha cousiña. Un galano. Para desculparme.

–Joe! –exclamou Bob, irritado–. Escóitame ben, como sexa un Rolex ou un taco de billetes ou algo diso, non cho penso coller, estamos?

Joe sorriu.

–Non, é só un Twix. Pareceume que estaría ben compartilo.

Joe sacou do peto o chocolate duplo e a Bob entroulle o riso. Joe tamén riu. Abriu o envoltorio e tendeulle a Bob unha das barriñas. Mais xusto cando Joe estaba a piques de meterlle unha chanchada á galleta revestida de caramelo e chocolate…

–Joe! –falou a nai de Bob dende a cociña–. Apura, ven! O teu pai está saíndo pola tele…

25

Afundido

Afundido. Velaí o único adxectivo capaz de describir como aparecía o pai de Joe. Saía en bata diante de Vila Suavicú. O señor Spud falábaulle directamente á cámara, cos ollos colorados de chorar.

–Perdino todo –dicía moi lentamente, co rostro descomposto pola emoción–. Todo. Pero o único que quero é que volva o meu fillo. O meu filliño precioso.

Entón arrasáronselle os ollos e tivo que parar para coller azos.

Joe mirou para Bob e a súa nai. Estaban todos os tres de pé na cociña, coa ollada cravada na tele.

–A que se refire con iso de que o perdeu todo?

–Acaban de dicilo nas noticias –contestoulle a nai de Bob–. Interpuxéronse non sei cantos milleiros de denuncias contra o teu pai. Seica o Suavicú che pon o cu morado.

–Que?! –abraiouse Joe. Volveu mirar para a tele.

–Se me estás vendo, fillo… Volve á casa. Por favor. Suplícocho. Sen ti non podo vivir. Non sabes canto te estraño…

Joe tocou a pantalla cos dedos. Notaba que lle saltaban as bágoas. Un zunidiño de electricidade estática fíxolle cóxegas nas xemas.

–Mellor vaite –aconsellou Bob.

–Si –respondeu Joe, tan afectado que non se daba movido.

–Se ti e o teu pai necesitades un sitio onde parar, aquí tedes a vosa casa –dixo a nai de Bob.

–Por supostísimo –confirmou Bob.

–Moitas grazas, heillo dicir –respondeu Joe–. Veña, marcho.

–Marcha, marcha –dixo Bob.

Abriu os brazos e deulle unha aperta a Joe. Joe non recordaba a última vez que o abrazaran. Aquilo non se pagaba con diñeiro. E Bob daba unhas apertas de primeira categoría. Como era tan dondiño…

–Xa nos veremos, supoño –dixo Joe.

–Eu vou facer pastel de carne –anunciou a nai de Bob cun sorriso.

–O meu pai tolea polo pastel de carne –contestou Joe.

–Ben o sei –dixo a nai de Bob–. O teu pai e mais eu fomos compañeiros de clase.

–Non me diga! –sorprendeuse Joe.

–Si! Cando o home tiña algo máis de pelo e algo menos de diñeiro! –dixo ela de broma.

Joe permitiuse rir un pouquiño.

–Moitísimas grazas.

Como o ascensor estaba avariado, Joe baixou polas escaleiras a toda présa, tanto que ía rebotando contra as paredes dos relanzos. Chegou correndo ó aparcadoiro en que agardaba Raj.

–Á Mansión Suavicú, Raj! E mételle a fondo!

Raj botouse a pedalear con todas as súas forzas, e o triciclo avanzou como malamente puido pola rúa adiante. Ó pasar por diante dun quiosco de prensa da competencia, Joe guichou os titulares dos xornais expostos na rúa. O pai aparecía en todas as primeiras planas.

O ESCÁNDALO SUAVICÚ, titulaba o *Times*.

O MULTIMILLONARIO LEN SPUD ENCARA A RUÍNA, dicía o *Telegraph*.

O SUAVICÚ REVÉLASE NOCIVO PARA O TRASEIRO, anunciaba o *Express*.

ASENTADEIRAS MORADAS: ANÁLISE, reflexionaba o *Guardian*.

PESADELO NO POUSADELO!, vociferaba o *Mirror*.

ÚLTIMA HORA: A RAÍÑA TEN O CU COMA UN MANDRIL, afirmaba o *Mail*.

CUS QUE CAEN A CACHOS!, berregaba o *Daily Star*.

O NOVO PEITEADO DE VICTORIA BECKHAM, anunciaba o *Sun*.

Ben, non todas as primeiras planas, pero case.

–Tiñas razón, Raj! –dixo Joe cando entraron pedaleando na rúa principal.

–Sobre que en concreto? –preguntou o quiosqueiro, mentres secaba a suor da testa.

–Sobre o Suavicú. Todo o mundo ten o cu morado por usalo!

–Ves? E ti revisaches o teu?

Aconteceran tantas cousas dende que Joe saíra da de Raj a tarde da véspera que se lle pasara totalmente comprobalo.

–Non.

–E logo?

–Para!

–Que?

–Que pares!

Raj meteulle un tirón ó volante e aparcou o rajmóbil na beirarrúa. Joe apeouse, mirou para atrás e baixou un chisco o pantalón.

–Que ves? –preguntou Raj.

Joe mirou para abaixo. Dúas inmensas nádegas inchadas e violáceas devolvéronlle a ollada.

–Púxoseme morado!

Repasemos un instante o diagrama de Raj. Se engadísemos o cu de Joe, a cousa quedaría así:

En poucas palabras, o cu de Joe estaba **moi moi moi moi moi moi moi moi moi moi moi moi moi moi moi moi moi moi moi moi moi moi moi moi moi moi moi moi moi moi moi moi moi moi moi moi moi moi moi moi moi moi moi moi moi moi moi moi moi moi moi moi moi moi moi moi moi moi moi moi moi moi moi moi moi moi moi moi moi moi moi moi moi moi moi moi moi moi moi moi moi moi moi moi... morado.**

Joe subiu o pantalón e volveu montar no rajmóbil.

–Vamos!

En chegando a Vila Suavicú, descubriron centos de xornalistas e unidades móbiles da televisión amoreados onda a cancela. Cando intentaron achegarse, enfocáronos todas as cámaras e disparáronse centos de flashes. Impedíanlles a entrada, e Raj non tivo máis remedio ca deter o triciclo.

–En directo para Sky News! Como te sentes agora que o teu pai encara a ruína financeira?

Joe estaba tan apampado que non acertaba a contestar, pero aquela barafunda de homes de gabardina seguían a axofralo a preguntas.

–Informativos da BBC. Habilitarase un fondo de indemnización para os millóns de consumidores do planeta afectados pola moradez glútea?

–CNN. Teme que o seu pai se enfronte a cargos penais?

Raj rascou a gorxa.

–Cabaleiros, se me permiten… Vou facer unha breve declaración. –Todas as cámaras enfocaron o quiosqueiro. Fíxose o silencio, só crebado por algún «Chist!»–. No quiosco de Raj da rúa Bolsover presentamos unha oferta imbatible: por dez bolsas de Frazzles, levan unha gratis!

Non deixen de probar os mellores pelellos fritidos sabor touciño! Oferta limitada.

Os xornalistas ceibaron un audible suspiro colectivo e moumearon polo baixo, amolados.

Rin, rin!

Raj deulle ó timbriño do triciclo e o mar de reporteiros partiu en dous para lles deixar paso a el e Joe.

–Moitas grazas! –correspondeu Raj cun sorriso–. E tamén teño uns chocolates Lion caducados ó cincuenta por cento! Levisimamente balorentos!

26

Vendaval de billetes

Mentres percorrían a pedalada limpa o interminable camiño de acceso á casa, Joe constatou con sorpresa que xa había unha frota de camións aparcados perante a porta principal. Un exército de homes graúdos enfundados en chaquetas de coiro sacaban da mansión a totalidade das pinturas, lámpadas de araña e paus de golf revestidos de diamantes que lle pertenceran ó pai. Raj detivo o triciclo e Joe chimpou da cesta e subiu coma un raio a grande escalinata de pedra. Sapphire saía moi apresurada da casa, empoleirada nuns taconazos imposibles e cargada cun maletón coma un mundo e unha chea de bolsos.

–Saca do medio! –ladroulle.

–Onde vai meu pai? –preguntoulle Joe en ton cortante.

–Nin o sei nin me importa! Pois non vai o moi pailán e perde toda a súa fortuna?

Segundo corría escaleiras abaixo, rompeulle un tacón e caeu a rolos polos banzos. A maleta estrelouse contra a empedrada e abriuse de golpe. Polo aire saíu voando un vendaval de billetes. Sapphire botouse a chiar e chorar e, coa máscara de pestanas a facerlle regos nas meixelas, incorporouse e púxose a choutar, desesperada por chapar os billetes voadores. Joe mirou para ela cunha mestura de furia e pena.

Entrou na casa sen perder un segundo. Estaba espoliada de arriba abaixo. Joe abriuse camiño por entre os axentes de embargos e subiu a todo correr pola enorme escaleira curva. Pasou por diante dun par de homes corpudos que levaban centos de quilómetros das súas pistas de Scalextric. Por espazo dun milisegundo, Joe sentiu unha picada de tristura, pero seguiu correndo e abriu de golpe a porta do dormitorio do seu pai. O cuarto estaba baleiro e desvalixado; aquel novo minimalismo case que resultaba relaxante. Sentado no colchón nu, coa cabeza baixa e de costas á porta, estaba o pai de Joe, sen máis indumento ca unha camiseta interior e os calzóns, os membros grosos e peludos en marcado contraste coa cabeza lampa. Embargáranlle ata o perruquín.

–Papá! –berrou Joe.

–Joe! –O pai xirouse. Tiña a cara toda colorada e inchada de tanto chorar–. Meu fillo! Meu filliño! Volviches!

–Perdóame por escapar, papá.

–E ti perdóame por darche semellante desgusto co asunto da tal Lauren. Eu só quería que foses feliz.

–Ben o sei, ben o sei, perdóocho, papá. –Joe sentou a son do pai.

–Perdino todo. Todo. Ata Sapphire marchou.

–Non teño moi claro que fose boa para ti, papá.

–Non?

–Non –contestou Joe, conténdose para non negar con demasiada vehemencia.

–Igual non –dixo o pai–. Agora non temos casa, non temos cartos, non temos avión privado… Que vai ser de nós, fillo?

Joe meteu a man no peto do pantalón e tirou un cheque.

–Papá.

–Que, filliño?

–Estoutro día estaba rebuscando nos petos e atopei isto.

O pai estudouno. Era o cheque que lle asinara a Joe polo seu día de anos. Dous millóns de libras.

–Non cheguei a cobralo –engadiu Joe, emocionado–. Devólvocho. Así podes comprar unha casa e aínda nos sobra un montón.

O pai mirou para o fillo. Joe non sabía se o vía triste ou contento.

–Moitas grazas, filliño. Es un sol. Pero o problema é que este cheque non vale un can.

–Non vale un can? –Joe quedou conmocionado–. E por que?

–Porque non me queda nin un penique na conta bancaria –explicoulle o pai–. Puxéronme tantas demandas que os bancos me bloquearon todas as contas. Estou en bancarrota. Se o cobrases cando cho dei, a estas horas aínda teriamos os dous millóns.

Joe colleu algo de medo ó pensar que, sen sabelo, actuara mal.

–Estás enfadado comigo, papá?

O pai mirou para Joe e sorriu.

–Non, case que me alegro de que non o cobrases. Ter moitos millóns tampouco non nos trouxo moita felicidade, va que non?

–Non –dixo Joe–. Por ben dicir, tróuxonos tristeza. E eu tamén che pido perdón. Ti acercáchesme a redacción ó colexio e eu berreiche por deixarme en evidencia. Bob ten razón: porteime moitas veces como un mocoso consentido.

O pai riu polo baixo.

–Un pouquiño pode que si.

Joe brincuou para se aconchegar ó pai. Tiña falta dunha aperta.

Xusto entón entraron no dormitorio dous axentes de embargos coma dous armarios de grandes.

–Temos que levar o colchón –declarou un.

Os Spud non opuxeron resistencia. Incorporáronse e permitiron que os axentes levasen o último que quedaba no dormitorio.

O pai inclinouse e faloulle ó oído ó fillo.

–Se hai algo que queiras salvar do teu cuarto, aconsélloche que apures.

–Non quero nada, papá –respondeu Joe.

–Algo tes que querer. Os anteollos de sol de marca, un reloxo de ouro, o iPod…

Viron como os dous homes sacaban o colchón do cuarto do señor Spud. O dormitorio quedou total e absolutamente baleiro.

Joe pensou uns instantes.

–Si que quero unha cousa –dixo. E saíu.

O señor Spud achegouse á fiestra. Observou impotente como os homes de chaqueta de coiro arramplaban con toda a súa facenda –os cubertos de prata, os floreiros de cristal tallado, os mobles de anticuario…– e cargaban con todo nas furgonetas.

De alí a un pouco volveu Joe.

–Puideches salvar algo? –preguntoulle o pai con ansia.

–Só unha cousiña.

Joe abriu a man e amosoulle ó pai o foguete torto feito con rolos de papel hixiénico.

–Pero… isto? –preguntou o pai.

Non lle collía na cabeza que o fillo gardase aquela trapallada vella, e moito menos que fose o único artigo do enxoval que pretendese conservar.

–É o mellor agasallo que me fixeches nunca –contestou Joe.

Ó pai enchéronselle os ollos de bágoas.

–Pero se é un simple rolo de papel do váter con outro cacho de rolo embutido nun lado –musitou.

–Xa o sei –dixo Joe–. Pero foi feito con amor. E para min significa moito máis ca ningún dos regalos caros que me compraches nunca.

O pai tremeu, asoballado pola emoción, e apertou o fillo con aqueles cepos peludos que tiña por brazos. Joe apertouno pola súa vez con aqueles cepos menos peludos que tiña por brazos. Apoiou a cara contra o peito do pai. Notoullo mollado de bágoas.

–Quérote moito, papá.

–Ídem… Ou sexa, eu tamén te quero, filliño.

–Papá… –dixo Joe con timidez.

–Que.

–Apetéceche cear pastel de carne?

–Máis ca nada no mundo –dixo o pai cun sorriso.

Pai e fillo abrazáronse forte.

Por fin Joe tiña todo canto podía necesitar.

Epílogo

Que foi dos personaxes do libro?

O señor Spud quedou tan fascinado co pastel de carne da nai de Bob que casou con ela. E agora cean pastel de carne acotío.

Joe e Bob non só seguiron sendo amigos da alma: ó casaren os pais, pasaron a ser irmáns.

Sapphire comprometeuse en matrimonio cun equipo de fútbol de primeira división.

Raj e o señor Spud comezaron a desenvolver en colaboración unha serie de ideas que, confiaban, farían deles senllos billonarios. O Kit Kat de cinco barriñas. O Mars semigrande (a medio camiño entre o normal e o extragrande). Polos de xeo con sabor a curry. No momento deste libro ir ó prelo, ningunha das tales ideas lles granxeou nin medio penique.

Ninguén distinguiu xamais cal Grubb era home e cal era muller. Nin sequera os seus propios pais. Mandáronos ós Estados Unidos, a un campamento para delincuentes xuvenís.

O director, o señor Dust, xubilouse do ensino o día que fixo os cen anos. Hoxe dedícase a xornada completa ó motorismo de competición.

A señorita Spite foi recontratada como mestra de Historia e ocupouse de que Joe quedase castigado a limpar o patio todas as tardes da súa vida.

Ken Foy, o profesor de nome malfadado, mudou de nome. Puxo Susan Jenkins. E moito non mellorou, a verdade sexa dita.

Lauren continuou a súa carreira de actriz. O único papel digno de mención foi na telenovela de hospitais *Casualty,* en que interpretou un cadáver.

A administrativa, a señora Chubb, seguiu toda a vida encaixada na cadeira.

Á raíña quedoulle o cu todo morado. Mostróullelo a todos os súbditos cando deu o discurso de Nadal, referíndose a el como o seu «anus horribilis».

Por último, a señora Trafe publicou un receitario que foi todo un éxito de vendas, *101 receitas con vómito de morcego.* Editado por HarperCollins.

Parabéns! Xa es ultramillonario! Recorta este billete e pégao na túa carteira para impresionar as túas amizades e familiares.

(Pero non intentes mercar nada con el. Non ten valor legal.)

Sushi Books
(un selo de Rinoceronte Editora SLU)
Avenida de Lugo, 15
36940 Cangas do Morrazo (Pontevedra)
www.sushibooks.es
falame@sushibooks.es

Primeira fornada: Maio de 2024 (500 exemplares)